Santo, santo, santo

# Santo, santo, santo

*Como a santidade de Deus nos leva a confiar nele*

JACKIE HILL PERRY

Traduzido por Cecília Eller

MUNDO CRISTÃO

Publicado originalmente por B&H Publishing Group, Nashville, Tennessee, EUA.

Os textos bíblicos foram extraídos da *Nova Versão Transformadora* (NVT), da Tyndale House Foundation, salvo as seguintes indicações: *Almeida Revista e Corrigida* (RC) e *Almeida Revista e Atualizada*, 2ª edição (RA), ambas da Sociedade Bíblica do Brasil; e *Nova Versão Internacional* (NVI), da Biblica, Inc. Eventuais destaques nos textos bíblicos referem-se a grifos da autora.



*CIP-Brasil. Catalogação na publicação*
*Sindicato Nacional dos Editores de Livros, RJ*

H545s

Hill-Perry, Jackie, 1989-
Santo, santo, santo : como a santidade de Deus nos leva a confiar nele / Jackie Hill Perry; tradução Cecília Eller. - 1. ed. - São Paulo : Mundo Cristão, 2022.
144 p.

Tradução de: Holier than thou
ISBN 978-65-5988-057-7

1. Deus (Cristianismo). 2. Confiança em Deus - Cristianismo. 3. Vida cristã. 4. Vida espiritual. I. Eller, Cecília. II. Título.

22-75554 CDD: 231
CDU: 27-14

*Camila Donis Hartmann - Bibliotecária - CRB-7/6472*

*Categoria:* Espiritualidade
1ª edição: março de 2022
1ª reimpressão: 2024

*Edição*
Daniel Faria
*Revisão*
Natália Custódio
*Produção e diagramação*
Felipe Marques
*Colaboração*
Ana Luiza Ferreira
Marina Timm
*Capa*
Douglas Lucas

Publicado no Brasil com todos os direitos reservados por:
Editora Mundo Cristão
Rua Antônio Carlos Tacconi, 69
São Paulo, SP, Brasil
CEP 04810-020
Telefone: (11) 2127-4147
www.mundocristao.com.br

A minhas filhas, Eden, Autumn e Sage.

Esta obra não foi escrita para vocês, mas à sua volta. Enquanto vocês brincavam, eu estudava e refletia profundamente sobre a natureza de Deus. Enquanto vocês estavam na escola ou no quarto, eu escrevia o máximo possível. Às vezes, vocês me interrompiam querendo me contar alguma coisa ou me mostrar algo. Sempre que isso acontecia, eu pensava comigo: "Isso também é sagrado!". Há uma pureza infantil na maneira como vocês me procuram para quase tudo.

Minha oração é que o que está escrito a partir de agora seja aquilo a que vocês me veem obedecer, para que, quando cada uma tiver idade suficiente para ler as palavras da Mamãe e entender sobre o Deus santo que elas explicam, se e quando vocês tomarem a decisão de ser como a Mamãe, meu exemplo signifique que vocês serão mais semelhantes a Deus.

# Sumário

*Agradecimentos* 8
*Prefácio* 9
*Introdução* 13

1. Santo, santo, santo! 21
2. Santo, santo, santo: perfeição moral 37
3. Santo, santo, santo: transcendência 60
4. Deuses profanos: idolatria 74
5. Justiça santa 92
6. Santo como?: visão santa 108
7. Santo como?: contemplando, nos tornamos 126

*Notas* 140

# Agradecimentos

*Preston, Mãe e Dana, obrigada*
*Austin, Devin e Ashley, obrigada*
*Pai, Filho e Espírito, obrigada*

# Prefácio

Reflexões profundas sobre o caráter de Deus não acontecem sem grandes provações. Pergunte a Moisés. Ele passou boa parte de quarenta anos em desonra até ter um encontro com Deus naquela sarça ardente. Sua vida naquela região inóspita foi mais um deserto pessoal e profissional do que uma estadia nos rincões da desolação. No entanto, algumas das melhores revelações sobre Deus vieram à custa desse seu período de deserto pessoal.

Pergunte a Rute. Uma mulher moabita sem resgatador, que forçou os limites da feminilidade do sexto século a.C., mas determinada a ver a providência assumir o controle da situação. Sua história e descendência nos fazem vislumbrar pedaços do mistério de Deus na tela de sua luta.

Ninguém recebe uma revelação sem um grande preço. Às vezes, o custo é a própria transgressão. Pergunte a Davi. Em algum momento entre Bate-Seba e Absalão, sua vida se tornou o estúdio das melodias celestiais. Boa parte das músicas espirituais que cantamos hoje remontam a sua trombeta da tribulação.

Pergunte a Jackie. O livro que você tem em mãos foi forjado pelo tempo e pelas provações. Jackie pagou um preço para escrever este livro. Parte de seu cansaço vaza na tinta destas páginas. Nenhum de nós é capaz de amar profundamente a Deus e de vê-lo com clareza sem primeiro ter um despertamento para nossa depravação interna, a qual nos leva a um apreço mais pleno da santidade divina. Parte da riqueza dos tesouros que ela encontrou estão expostos aqui à vista de todos.

Toda era necessita de seu profeta da santidade, uma espécie de convite vivo para que nos maravilhemos na beleza da santidade de Deus e na santidade de sua beleza. É a última parte que me toca: a santidade de sua beleza. Nossa cultura é ofuscada por imagens de majestade passageira. Nós nos decepcionamos com muita facilidade. O brilho do ouro dos setores financeiro e comercial encanta repetidamente cada geração que passa. As empresas de cosméticos fazem seu melhor para esconder as manchas e rugas de nosso semblante exausto. A fama e a influência convidam nossa devoção singular. Nós, seres humanos, estamos à caça de uma beleza que não se esvai, só para descobrir que ela falha.

Embora precisemos de um profeta da santidade, não é hora para moralismos vazios e irrelevâncias religiosas. Nada disso é suficiente para sustentar ou satisfazer. Pregamos tantos sermões e publicamos tantos livros, sejam eles conservadores ou liberais, que não passam de manifestos morais disfarçados de exegese acadêmica. Logo nos cansamos de ordens frias. Necessitamos de uma visão maior de Deus, muito embora a janela a partir da qual o contemplamos seja pequena.

Este livro é uma visão ampla por meio de uma janela estreita. Preciso, porém, lhe dar uma advertência. O enigma complexo da santidade divina é literalmente indescritível. Nossos melhores esforços não passam de imagens antropomórficas, metáforas para decodificar o mistério. A verdade é que as palavras não bastam. Deus precisa ser vivenciado. E isso, meus amigos, é uma proposta assustadora. Poucas pessoas, de Moisés a D. L. Moody, conseguiram conter a alegria aterrorizante de tal encontro. Por isso, prepare-se. As palavras contidas nestas páginas são como os degraus de uma escada vertical rumo a uma vista cujo tema é tão glorioso quanto o objeto retratado.

Eu disse a Jackie que ela é uma comunicadora talentosa, mas fiquei pasmo ao ver que sua escrita é igualmente profunda. No papel de lógica e apologista, ela exalta nossa fé mais envolta pela razão. E, com isso, serviu muito bem a sua geração. Quando A. W. Tozer escreveu que "Deus está em busca de homens e mulheres em cujas mãos sua glória permaneça segura", sem dúvida estava pensando em uma santa cativante como Jackie.

Li este livro e desejei mais de Deus.

Debrucei-me por suas páginas com interjeição e aplauso ao mesmo tempo.

Não estava pronto para a alegria que veio a meu encontro.

Aqui está. Leia e chore de alegria.

DR. CHARLES DATES
Pastor titular da Progressive Baptist Church
e professor convidado da Trinity Evangelical Divinity School
e do Baylor's George W. Truett Theological Seminary

# Introdução

Toni Morrison disse certa vez: "Se há um livro que você deseja ler, mas ainda não existe, então você deve escrevê-lo".[1] Então aqui estou eu, escrevendo.

Você descobrirá que todos têm um livro "santo" para lhe recomendar, se você for a um seminário, andar pelos corredores de uma biblioteca, perguntar ao pastor qual é o favorito dele, ou a sua amiga, ou a seu pai. Já li muitos até aqui que moldaram minha alma e expandiram minha mente. A obra que você tem em mãos é prova disso. Deixo registrada minha homenagem a nomes como G. E. Patterson, John Onwuchekwa, R. C. Sproul, A. W. Tozer, Stephen Charnock e David Wells por terem me ajudado a pensar sobre o assunto. Valorizo músicas cristãs como "Nobody Greater" [Ninguém é maior], "Nobody Like You, Lord" [Ninguém é como tu, Senhor] e "Nobody Like Jesus" [Ninguém é como Jesus], por colocarem melodia ao tema. Lembro-me de tia Merle, a primeira mulher santa que conheci. Sei identificar uma auréola quando a vejo por causa dessa querida senhorinha. Ela sempre tinha essa aura de santidade. A essa mulher santa, deixo também minha homenagem. Essas influências foram boas para mim, mas, mesmo com a ajuda de todos, eu ainda tinha dúvidas quanto ao tema da santidade que eles me apresentaram.

Eu não me lembro do dia em que pensei nisto e se meu café estava quente ou frio. Só sei que pensei e que necessitava de uma resposta para aquilo que pensei: "Se Deus é santo, então não pode pecar. Se Deus não pode pecar, então não pode pecar contra mim. Se não pode pecar contra mim, isso não deveria fazer dele o ser mais confiável que existe?".

É possível que eu tenha pensado nas pessoas antes disso e nos motivos que eu tinha para não confiar *nelas*. As pessoas são incrivelmente problemáticas, para dizer o mínimo. Elas nascem neste lugar com más inclinações e intenções inconsistentes e, claro, não foi isso que nenhuma delas (inclusive eu) foi criada para ser. Deus nos criou à imagem dele. Deveríamos existir no mundo de tal modo que, quando observados, qualquer um que nos olhasse pudesse imaginar Deus com precisão. Quando, porém, se acrescenta à mistura um demônio questionador, uma mulher enganada, a mordida proibida de um homem e a transgressão da lei divina por causa disso, o que resta não é a bondade natural. O que resta é a herança geracional de tudo que é profano e torna cada ser humano bastante diferente de Deus. O mesmo impulso que ergueu a mão de Caim e levou ao clamor do sangue do próprio irmão se encontra dentro de cada pessoa viva. Creio que essa é a origem de todo motivo que nos leva a desconfiar dos seres humanos. Sabemos que, se uma pessoa é pecadora, a má conduta sempre é uma possibilidade, e Deus não permita que nos aproximemos demais para ter o mesmo destino de Abel. Desconfiamos da proteção (sabiamente às vezes) da mão alheia levantada e do clamor de nosso sangue. Não importa se o homicídio é verbal, emocional ou físico, nós nos distanciamos do potencial dos três casos porque conhecemos nossa natureza pecaminosa e já sofremos pecados demais contra nós para saber muito bem que não dá para confiar em pecadores.

Mas e Deus? Ele é tão negligente quanto os outros? É um ser com potencial de ser tão mau quanto nós? Tão mau quanto

Caim e seu pai, o primeiro pecador? Se não, por que o tratamos como a todos os outros? Será que confundimos o Segundo Adão com o primeiro e achamos que ele não passa de uma versão "melhorada" de nós mesmos? Pensamos que sua bondade, embora imensa, não é consistente? Ou que seus mandamentos só são verdadeiros quando não nos ferem? Como se, quando suas instruções nos custam o braço, a perna ou a vida, então ele só pode estar mentindo? O que estou tentando dizer é que, em algum lugar lá no fundo, por trás de nossa descrença, está o pensamento de que Deus não é santo. Um objetivo da obra que você tem em mãos é provar que "se" não pode entrar na frente de "Deus é santo". Uma vez que ele o é, conforme os capítulos a seguir mostrarão, Deus é totalmente digno de confiança.

De acordo com o autor de Hebreus, "sem fé é impossível agradar a Deus" (Hb 11.6). Logo, a fé sempre precisa fazer parte do debate acerca de como interagir com ele. Sem fé, estamos condenados. Com fé, movemos montanhas. Sem fé, é como se estivéssemos em um mar instável, com duas mentes em um só corpo. Com fé, estamos na casa edificada sobre a rocha. Quando os ventos sopram, jogando todo seu peso contra a estrutura, ela — ou melhor, *nós* — não rui. Faz sentido perceber que, de todas as coisas que a serpente poderia destruir, é nossa fé que ela mais ataca. Ao transitar pelas Escrituras, veremos o Deus santo que ele é a fim de que possamos depositar nossa fé em quem ele revelou ser. A fé não é opcional nesse caso. Devemos confiar em Deus como se nossa vida dependesse disso, pois ela de fato depende.

É com base nessa fé em Deus que o fruto cresce. A santidade se manifesta em nós, tornando-nos confiáveis, honestos, dotados de autocontrole, gentis, sábios, puros e mais. Por mais óbvio que pareça, nossos esforços na área da santificação nem sempre são retratados dessa maneira — mostrando que a fé em Cristo e em quem ele revelou que Deus é precede a santidade. O chamado a uma vida santa muitas vezes tem apresentado o ódio de Deus pelo pecado como o principal incentivo à pureza, em contraste com a exaltação do próprio Deus como motivo. Cresci ouvindo essa técnica. Nela, o pregador se aprumava atrás do púlpito para me dizer a verdade: que, sem santidade, ninguém verá a Deus. Se eu fosse pecadora, Deus faria comigo o mesmo que fez com Sodoma, empurrando pelo susto a mim e todos os outros do grupo de jovens a uma vida de pseudossantidade. O problema que surge dessa abordagem é duplo: não me foi apresentada a visão de um Deus santo que explicasse seu valor infinito, negando-me a alegria proveniente de saber que o próprio Deus é o incentivo para o arrependimento. Também não recebi uma pá, nem fui incentivada a cavar além de meus pecados para ver o que estava debaixo deles e entender o contexto do que me levava a pecar daquela maneira.

O solo que leva todo pecado a crescer é a descrença. Pecamos porque isso faz parte de nossa natureza, mas não é como se sempre pecássemos de forma não intencional, como robôs depravados sem a habilidade de nos comportar segundo a razão. Somos conscientes em nossa rebelião. Há um nível de raciocínio dentro de nós quando decidimos qual bezerro de ouro iremos amar em determinado dia. Dito isso, a base de nossa idolatria, o pecado que produz todos os outros, é uma crença específica acerca de Deus. Nossa ética sexual pervertida, língua descontrolada, superioridade religiosa, postura legalista, nossos pensamentos sombrios, modos maldosos, nosso mau humor impaciente, nossas bizarrices gananciosas, nossa arrogância intelectual e tendência rebelde surgem do que cremos acerca do Deus vivo. Não estou me referindo à tentação de cometer esses atos, mas, sim, de sua prática. Fazemos uma dessas coisas ou todas elas quando tomamos a decisão de não crer em Deus, confiar nele, reconhecê-lo ou depender de quem ele revelou ser em algum aspecto.

Vejamos o exemplo do jovem rico, que se aproximou de Jesus com uma pergunta necessária: "Que devo fazer para herdar a vida eterna?" (Mc 10.17-22; Mt 19.16-22; Lc 18.18-23). Há algo de admirável nesse jovem anônimo ao querer saber como viver para sempre, mas note como ele se dirige àquele que sabia a resposta. Ele chama Jesus de "bom mestre". Ignorando a parte do "mestre", Jesus chama atenção para sua aplicação superficial do termo "bom". "Por que você me chama de bom? [...] Apenas Deus é verdadeiramente bom." O desdobramento é óbvio. O jovem chega com uma pergunta para um mestre que ele considera bom, mas não Deus. A crença do jovem rico é tão autêntica que ele é sincero em sua fala ao Deus encarnado, o único verdadeiramente bom, ao declarar que tem guardado sua lei, como se quisesse dizer que ele também é *bom*. Aquilo que ele pensa acerca de Jesus impulsiona sua maneira de pensar sobre si mesmo, preparando terreno para sua recusa a vender tudo que tinha a fim de que Jesus pudesse ser seu maior tesouro. Se Jesus é apenas bom, mas não Deus, então a ordem de segui-lo é opcional. E não é só isso: se Jesus é apenas bom, mas não Deus, então, tecnicamente, ele não é em nada *melhor* do que tudo aquilo que o jovem rico tanto tinha. Por que abrir mão de coisas boas por um homem inteligente, a menos que a verdade seja que esse homem também é Deus e, portanto, melhor do que todas as coisas boas que existem? A escolha dessa verdade transforma a entrega em uma questão de trocar cisternas rotas por água viva, o destino dos bem-aventurados que têm fome e sede e serão satisfeitos porque creem naquilo que Deus disse acerca de si mesmo (Sl 107.9; Jr 2.13; Mt 5.6). Percebe que, assim como no caso do jovem rico, nossas crenças sobre Deus determinam como nos comportamos?

Se esse for o caso, suspeito que muitos dos métodos e das mensagens referentes à santidade podem, na verdade, incentivar o oposto, conduzindo a uma moralidade terrena, em lugar de uma justiça enviada do céu. Sempre que a santidade é prescrita de uma forma que não implica abordar o sistema de crenças subjacente que levou ao pecado, temos o potencial de deixar a bola cair. Digamos que alguém decide ir a uma igreja, se assentar no banco, cantar os hinos e então ouve um sermão sobre santidade. Nele, escuta coisas do tipo: "Tome a sua cruz e morra todos os dias para o eu". E: "Não se pode servir ao mesmo tempo a Deus e ao dinheiro". Que bem tudo isso pode fazer ao ouvinte se ele acredita que Deus é mentiroso? Ele desobedece porque não acredita que Jesus tem vida em si mesmo, vida real, melhor do que qualquer vida superficial oferecida pelo mundo. Se isso não vier à tona, essa pessoa aceitará o chamado de Cristo a morrer para o eu, ou simplesmente achará que a vida está ótima sem ele? E se não houver uma conversa sobre o valor supremo de Deus — como ele, por ser Deus, é melhor do que qualquer coisa que existe? Sem isso, que incentivo há para eliminar um senhor menor, em troca do Deus que é bom? Qual seria a motivação para crer que Deus é mais fiel do que a própria renda? Vivemos supondo que a melhor forma de ajudar as pessoas a ser santas é simplesmente dizer que devem "parar de pecar", quando, na verdade, a transformação duradoura é uma consequência espiritual de contemplar a glória do Senhor (2Co 3.18).

É por isso que estamos aqui: para contemplar. Para volver nossos olhos a um amor maior. Para ver aquele de quem Adão se escondeu, para quem os salmistas cantaram, de quem os profetas falaram, com quem os discípulos andaram e que Jesus deu a conhecer. Sei que "santo" é uma palavra acompanhada de um mundo de bagagem. Pensamos nesse conceito e imaginamos o tédio encarnado. Uma mulher que não sorri. O homem tenso que parece jamais ter amado algo ou alguém. Com base em nossa experiência com a religião e como ela faz algumas pessoas parecerem gado, podemos achar que santidade é ser como elas. Distantes, frias, conhecedoras das Escrituras e ignorantes do coração. Mas tudo aquilo que é desprovido de alegria e endurecido não descreve a Deus.

A santidade divina é essencial para a natureza de Deus e fundamental para o ser de Deus. É sua santidade que o torna bom, amoroso, terno e fiel. Sem santidade, Deus não seria belo e, por causa disso, eternamente atraente. Pense na característica oposta manifesta nele e você entenderá o que estou querendo dizer. Se ele fosse soberano, porém mau, sem justiça interior para restringir sua mão, eu não ficaria espantada se o mundo já não existisse mais. Se ele tivesse todo o poder, mas nenhum amor, nossa recusa em amá-lo de volta resultaria em abuso cósmico, ou, quem sabe, um milhão de outros dilúvios, sem um arco-íris ao fim para prometer uma trégua. Se ele não fosse um Deus santo, o que significaria a salvação? Como seria o livramento a um "salvador" egocêntrico? Ainda bem que nosso Deus é incompreensivelmente santo e, portanto, completamente belo em todos os seus caminhos e atos. É por isso que somos convidados a adorá-lo como tal, e ao fazê-lo nos tornamos justos e belos como ele é.

A mensagem que se segue é simples. Escrevo aquilo que gostaria de ter lido. As palavras que explicam a beleza de Deus em sua santidade já foram escritas para nós por meio das

Escrituras inspiradas. Por isso, sei que não direi nada novo. Só estou sendo fiel àquilo que acredito que a Bíblia diz, mas do qual não ouço muito falar. Assim, se há algo que desejo que este livro faça é mostrar Deus para você. Não há ninguém maior. Ninguém melhor. Ninguém mais digno de nosso ser completo. E creio que, à medida que você o enxergar como ele é, desejará ser como ele também.

Santo.

# 1
# Santo, santo, santo!

Imagine que você é israelita. O Egito e seus deuses são memórias recentes. Cinquenta dias se passaram desde que você viu o mar se dividir em dois, a fim de que todo o povo passasse em terra seca no meio dele. Agora, no deserto, você fica sabendo que, em três dias, terá um encontro com Deus. Deus? Sim, Deus. Você nunca viu a face dele, mas tem uma ideia de como ele pode ser ao se lembrar de seu jeito de agir. Você se lembra de quando as águas ficaram vermelhas e o rio virou sangue. Quando o pó debaixo de seus pés começou a rastejar. Quando, certa manhã, o vento soprou trazendo um enxame tão grande de gafanhotos que eles cobriram o sol, deixando tudo preto e comendo todo o verde que havia. Quando, certa noite, você ouviu o que pareceu um grito de tristeza comunitária. Lembra o medo que sentiu de que o luto do outro lado da rua estivesse a caminho de sua casa — que fosse um sofrimento itinerante? Ficou desesperado para saber se o sangue aspergido na porta impediria que seu primogênito morresse por uma intervenção soberana e grudou o rosto na face dele, até sentir a respiração. O sangue funcionou.

Agora chegou o dia em que você e o restante de Israel terão um encontro pessoal com Deus. É manhã e, em sua tenda, você observa as sombras tomarem conta de tudo ao redor. O sol não brilha com a intensidade costumeira, e você se pergunta por quê. Ao dialogar com a própria curiosidade, algo que soa como trovão atravessa o espaço e chega até você. Não dá para saber se é ao mesmo tempo ou não, mas, um segundo após o barulho, relâmpagos se dispersam pelas nuvens como confete incandescente. Não há chuva em seguida, mas ouvem-se trombetas tocadas só Deus sabe por quem, altas o bastante para que você e todo o Israel saibam que o músico não é humano. Suas mãos estremecem. Seu coração acelera cada vez mais. Você olha para seu primogênito e se lembra de respirar.

Você está ao pé da montanha agora. Perto o bastante para ver que ela está envolta de fumaça e longe o suficiente para permanecer vivo. Você acompanha seu campo de visão, passa pela base e pelas partes a arder, até chegar ao topo, de onde emana a fumaça que levita até as nuvens — o mesmo lugar onde o trompetista invisível deveria estar. Claramente descontente com o volume inicial de seu instrumento, o som fica cada vez mais alto. Enquanto ele toca, você começa a entender. Percebe que foi liberto do faraó no Egito para que pudesse encontrar o Rei no deserto. Reconhece as diferenças entre esse Deus e os demais. Diferentemente de todos os outros, a criação faz a vontade desse Deus, não o contrário. Ele parece estar acima dela e de tudo. É diferente dos deuses egípcios, que eram imaginados e, assim, passavam a existir. Aqueles deuses se assemelhavam à imagem de seus criadores porque eles também eram *criados*. Eles também eram imorais, esperando do Egito uma justiça fácil o bastante para qualquer filho de Eva cumprir. Esse Deus não espera de você e de tudo o mais nada menos que uma obediência repleta de temor,[1] e você sabe disso. As pragas permanecem em sua memória como lembrete do tipo de Rei que você está prestes a encontrar. Um Rei capaz de usar rios, insetos, répteis e a própria natureza contra você. Assim como suas mãos, a montanha estremece. Como seu coração, ela não consegue ficar parada, pois agora, finalmente, no meio dos trovões, do céu iluminado pelo fogo e do toque de trombeta, descendo sobre a montanha incandescente, está Deus. Se você ainda não sabia, agora não dá mais para ter dúvidas de que esse Deus, esse Rei, é santo.

> Vocês não chegaram a um monte que se pode tocar, a um lugar de fogo ardente, escuridão, trevas e vendaval, ao toque da trombeta e à voz tão terrível que aqueles que a ouviram suplicaram que nada mais lhes fosse dito [...]. O próprio Moisés ficou tão assustado com o que viu a ponto de dizer: "Fiquei apavorado e tremendo de medo". Vocês, porém, chegaram ao monte Sião, à cidade do Deus vivo. [...] Uma vez que recebemos um reino inabalável, sejamos gratos e agrademos a Deus adorando-o com reverência e santo temor. Porque nosso Deus é um fogo consumidor.
>
> Hebreus 12.18-19,21-22,28-29

## Deus é santo

Israel viu com os próprios olhos o que aprendemos pela fé: que Deus é santo. Dizer que Deus é santo é o mesmo que dizer que Deus é Deus. Todos os caminhos de Deus, sua pureza moral e sua separação de tudo que é perverso, falso, iníquo e injusto provêm de seu ser. Ninguém mandou ou ensinou Deus a ser bom. Ele simplesmente é assim e não pode ser de nenhuma outra maneira. Conforme explicou Stephen Charnock, "Deus é bom pois é Deus e, portanto, bom por meio e a partir de si mesmo, não por participação com outro".[2] Faz parte da natureza dele ser justo, ou seja, correto, seguindo um padrão definido de moralidade, e o padrão é ele próprio. Somos bons na medida em que nos assemelhamos a Deus. Logo, qualquer tentativa de ser santo é uma tentativa de ser semelhante a Deus. De forma simples, os dois são inseparáveis, a santidade e Deus como ser.

Há momentos em que nossas conversas sobre santidade dão a impressão de que a santidade é *parte* ou um *pedaço* de Deus. Que Deus se movimenta entre atributos quando está decidindo como ser. Que, um dia, ele escolhe ser amoroso. No outro, decide ser vingativo. Como se Deus fosse uma torta de limão, a santidade seria uma fatia separada das outras. Em um prato, temos a santidade; em outro, o amor. A santidade, porém, não é um aspecto de Deus. Ele é santo o tempo todo, por inteiro. Seus atributos nunca se chocam uns contra os outros, nem mudam de lugar, dependendo do humor de Deus; eles são *ele*. "Deus é seus atributos. Ou seja, tudo que existe em Deus simplesmente é Deus."[3] Quando Deus ama, é um amor santo. Quando Deus se revela como juiz, derramando seu cálice sobre quem o merece, não deixou de ser amoroso, nem santo. Em tudo que é e faz, Deus sempre é ele mesmo.

Agora mesmo, espero que você esteja começando a ver a glória de Deus. E não digo isso de forma hipotética. Uma vez que a santidade é essencial para Deus, brilhando por tudo que ele é e em tudo que faz, isso quer dizer que jamais houve nem haverá um momento em que Deus não seja Deus. Em outras palavras, jamais chegará o dia em que Deus deixará de ser santo. Se isso fosse possível, seria o dia em que ele deixaria de ser Deus. Crer nisso como uma verdade absoluta e imutável afeta tudo que entendemos acerca dos caminhos e atos de Deus.

### A santidade revelada na criação

Na criação, Deus era santo. O ser humano foi criado para ser a imagem de sua justiça, e todas as outras coisas criadas, como o céu, o chão e os animais sobre a terra, foram consideradas boas por Deus. Quando ele usa essa palavra para se referir a qualquer coisa, está dizendo a verdade, pois se há alguém que sabe usá-la da maneira certa, é ele. O jovem rico chamou Jesus de "bom", e Jesus lhe perguntou por quê. Por que chamá-lo de bom, se somente Deus é bom? Essa não foi uma negação daquele cuja divindade estava velada, mas, sim, uma forma de dizer que o atributo de bom, ao ser relacionado a Jesus, dizia a verdade acerca de quem ele realmente era. Se bom, então Deus. Se Deus, então bom. Um Deus bom faz coisas boas. Bom? O tempo inteiro.

## A santidade revelada na queda

Depois que Adão e Eva resolveram pisar em solo profano, coisas ruins começaram a acontecer. Com o pecado, veio o juízo. Como juiz, Deus continua a ser santo. Algumas pessoas, em sua finitude, não conseguem conciliar essas ideias, de que o juízo é algo *bom (santo)*. Não sou em nada onisciente. Não tenho a menor condição de enxergar os motivos que as levam a inventar coisas acerca do que deve ou não ser verdade em relação ao Santo, mas, se precisasse dar um palpite, eu diria que a falta de aplauso à justiça de Deus se origina do desejo que sentem de que Deus fosse como elas: injustas. "É muito comum que os seres humanos imaginem Deus não como ele é, mas como gostariam que ele fosse, destituindo-o de sua excelência, pela própria segurança."[4] Caso as coisas fossem do jeito que queriam, os culpados poderiam continuar a viver sem castigo, livres do juízo, debaixo do martelo impassível de Deus. O problema é o seguinte: querer que Deus recuse a justiça é desejar que ele faça de si mesmo uma abominação. "Absolver o culpado e condenar o inocente são duas coisas detestáveis para o SENHOR" (Pv 17.15).

Ele se tornaria um ser abominável e detestável, mais parecido com Satanás do que com ele mesmo. Trata-se de um pedido impossível que beira à blasfêmia. Por isso, do jeito que Deus é, ele permanecerá. Santo e, portanto, justo. "O SENHOR dos Exércitos, porém, será exaltado em sua justiça; a santidade de Deus será demonstrada em sua retidão" (Is 5.16).

## A santidade revelada na redenção

Na redenção das almas, Deus é santo. Por sua retidão e justiça, Deus trouxe a lei. A princípio, era para não comer. Caso tivessem obedecido, pela fé na pureza e no valor do legislador, os dois desajustados do jardim teriam permanecido em seu amor. Contudo, a se recusar a fazê-lo, a natureza de ambos acabou herdada por todas as gerações, que amam mais as trevas do que ao Filho. Nascido como elas também, Israel recebeu uma lei escrita. Era uma série de mandamentos, muito bons, aliás, que retratavam a imagem de Deus em sua insistência em fazer o que é certo para ele e para os outros. Nenhum ser humano entendeu que esse comportamento era bom. Quem *quer* amar a Deus sobre todas as coisas quando há tantas alternativas deficientes sobre as quais depositar nossa afeição? Os deuses que passaram a colecionar eram incompletos, como cisternas rachadas, que desperdiçam água por toda parte. Esses deuses inferiores eram incapazes de tornar pleno qualquer um que neles confiasse. Tampouco podiam transcender sua natureza criada, caso fossem solicitados a livrar. Ainda assim, porém, Israel amava seus ídolos, da mesma maneira que nós.

Conforme se espera de Deus, juízo deve sobrevir àqueles que respondem com um hesitante "sim, Senhor". Sua justiça não permite que os culpados não sejam punidos. Como é assustador cair nas mãos do Deus vivo, até crermos naquele que o fez em nosso lugar. A cruz revela a santidade de Deus ao mostrar como o Filho sem pecado foi julgado em favor de pessoas pecadoras a fim de que, quando Deus justificar o culpado, ele o faça sem comprometer sua justiça. O Espírito Santo é enviado para nos encher e santificar como meio de restaurar nossa semelhança divina, ajudando-nos a usar as roupas certas e dois bons sapatos, uma vez que somos revestidos "de sua nova natureza, criada para ser verdadeiramente justa e santa como Deus" (Ef 4.24). Desde o início, na criação, em nossa redenção e na futura glorificação, a santidade de Deus é revelada.

## Santo, santo, santo

A fim de nos aprofundarmos no que as Escrituras querem dizer ao declarar que Deus é santo, aprendamos com a visão que Isaías teve dele. No sexto capítulo do livro que recebe o nome do profeta, está registrado o cântico dos serafins. Eles dizem o seguinte uns para os outros acerca de Deus: "Santo, santo, santo é o SENHOR dos Exércitos; toda a terra está cheia de sua glória!" (v. 3). Observe a palavra que se repete três vezes. Não é "amor, amor, amor", nem "bom, bom, bom", mas, sim, "santo, santo, santo".

Por que isso é tão importante? Bem, na língua e literatura hebraica, o uso da repetição era prática comum. Jesus costumava iniciar suas lições dizendo: "Em verdade, em verdade". Depois disso, seus ouvintes sabiam que tudo que viria em seguida seria significativo e verdadeiro. Nas Escrituras, é raro ver essa estratégia literária ser usada três vezes. Com exceção dessa passagem e de Apocalipse 4.8 ("Santo, santo, santo é o Senhor Deus, o Todo-poderoso"), em nenhum lugar se vê a repetição da mesma palavra três vezes para falar de um atributo de Deus. Com os três "santos", os serafins estão enfatizando a santidade absoluta, inalterável, essencial e total de Deus.

Dizer que Deus é santo, santo, santo é o mesmo que afirmar que ele é *santíssimo.* Ele é totalmente santo. Completamente santo. Impassivelmente santo. Absolutamente santo. Se você necessitar de mais palavras para descrever a natureza enfática da santidade divina, o dicionário de sinônimos apresenta mais opções para o superlativo: *maior, o mais, máximo, supremo.* Logo, a santidade divina é grandiosa. Ele é supremamente santo. É santo ao extremo. O Senhor é santo sem comparação para sua santidade, não um derivado de qualquer outra fonte. Sua santidade é intrínseca a sua natureza divina. É tão essencial para ele quanto a dependência para nós, criaturas. De todos os cânticos que poderiam ser entoados, de todos os atributos divinos dignos de louvor, Isaías viu os serafins entoarem uma melodia acerca da santidade absoluta de Deus.

Assim como as árvores, as palavras têm raízes. Se você escavar o solo debaixo das letras, descobrirá sua definição. O radical da palavra "santo" significa "cortar" ou "separar". Quando aplicado a tudo fora de Deus, tudo que é santo é separado para Deus. Por exemplo, Deus santificou o dia de sábado, separando-o de todos os outros dias como aquele no qual seu povo deveria descansar nele. É por isso que o sábado é chamado de santo em todo o Antigo Testamento. Deus o separou. Ele o colocou à parte. Em outro exemplo, o chão no qual Moisés pisava foi chamado de santo, não porque a poeira era divina, mas por causa da presença do Santo que o santificava, separando-o de todo e qualquer outro solo (Êx 3.5).

Há um sermão do excelente Tony Evans[5] no qual ele faz uma ilustração envolvendo pratos para explicar o sentido do termo "santo". Na casa dele e, para ser franco, na maioria das casas, há dois *tipos* de pratos. Existem os pratos comuns. Aqueles que você enche de batatas fritas e espreme *ketchup* por cima. São os pratos usados para servir as refeições normais, em dias comuns, para cafés da manhã, almoços e jantares corriqueiros, sem nada de mais. Alguns estão lascados, talvez até mesmo rachados e, se quebrarem, você não se chateia por jogá-los fora, pois não foram feitos para ser especiais.

Mas há outro tipo de prato. Esses só veem a luz do dia quando uma árvore cheia de luzes multicoloridas os chama a assumir seu lugar à mesa. Algo significativo precisa estar acontecendo dentro de casa para que seu uso se torne uma necessidade. E quando tudo volta ao normal, as velas são apagadas, os papéis de presente são rasgados e recolhidos e os convidados finalmente se levantam da mesa, esses pratos, após lavados, não são guardados dentro do armário junto com os pratos usados para encher de coisas banais como batata frita e *ketchup*. São colocados em um armário completamente diferente, que pode até ficar em outro cômodo, separado de tudo que não é igual, pois nada na casa é como eles. São separados, únicos, diferentes, distintos, isolados do que é comum. De maneira metafórica, são pratos "santos".

Dizer que Deus é santo significa identificar sua posição de ser separado. De que ou de quem Deus é separado? Pessoas e coisas só são santas se forem separadas para Deus, mas Deus é separado de quem? A resposta é simples. Deus é único, diferente, outro e distinto de tudo que existe.

Voltando ao início do sexto capítulo de Isaías, aquilo que os serafins dizem sobre Deus é observado por Isaías. Ele diz: "No ano em que o rei Uzias morreu, eu vi o Senhor. Ele estava sentado em um trono alto, e a borda de seu manto enchia o templo" (v. 1). Em primeiro lugar, é quando Uzias morre, depois que ele dá seu último suspiro, que Isaías vê a Deus. Ou seja, embora Uzias esteja morto, Deus está vivo. Isso pode parecer uma verdade óbvia que não tem muita ligação com a santidade, mas você está perdendo a lição de vista se pensou isso em relação a si mesmo. Deus não é santo simplesmente por estar vivo. Se assim fosse, qualquer um que tem fôlego poderia ser classificado como santo. Deus é santo porque *sempre* esteve vivo e, depois que cada rei, pessoa, planta, estrela ou lua passar, ele continuará a *ser*. Muito embora toda vida comece em Deus, ele não tem princípio. Outra maneira de dizer isso é afirmar que Deus é *autoexistente*. Ele existe simplesmente por existir. Não necessita de ninguém, além de si mesmo, para *ser*. Logo, ele sempre foi e sempre *será*.

Agora compare Deus com tudo o mais e me diga o que notou. Espero que tenha observado que tudo que existe tem início, é derivado, depende de algo para viver. Paulo descreve nossa vida como criaturas, destacando que é somente em Deus que "vivemos, nos movemos e existimos" (At 17.28). É possível afirmar o mesmo acerca de Deus? É claro que não. É isso que é chamado de *transcendência* divina. Significa que Deus é totalmente único, diferente que tudo que há. Deus não existe e não pode existir da mesma maneira que nós ou que qualquer outra coisa. Isso o separa de toda a criação como um ser distinto dela: santo. Assim, nisso vemos que a santidade de Deus diz respeito à pureza moral e também a uma alteridade transcendente e autoexistente. É ser totalmente certo *e* eternamente existente. Algo que, é claro, somente Deus é.

Isaías vê o Deus vivo e o chama de "o Rei, o SENHOR dos Exércitos" (6.5). Se o termo "senhor" dissesse respeito a outro, não significaria necessariamente que a pessoa é santa.

Quando Sara chamou Abraão de "senhor", estava reconhecendo a autoridade dele como seu marido. Ou no caso de um proprietário de terras, que em certa ocasião foi chamado de "o homem, *o senhor* da terra", que "falou conosco asperamente e nos tratou como espiões da terra" (Gn 42.30, RA). "Senhor" nesse caso transmite a ideia de "propriedade" ou "direito" sobre algo. O que torna o Senhor, conforme Isaías o vê, diferente de Abraão é que, no papel de marido de Sara, há uma relação de propriedade firmada por uma aliança em ação, segundo a qual ela é dele e ele é dela (1Co 7.4). No entanto, Abraão jamais poderia reivindicar autoridade soberana sobre a esposa, nem sobre qualquer outro ser humano. Ele não poderia tratá-la como se ela existisse por causa dele ou como se a vida e o ser de Sara em última instância dependessem dele. Quando o Senhor é louvado como "santo" e recebe os títulos de "Rei" e "Senhor dos Exércitos", subentende-se que ele não é o mero proprietário de algo, mas, sim, o dono de tudo — ele é o Rei de toda a terra e governante das forças celestiais também. Não possui apenas alguns direitos a reivindicar, mas direitos irrevogáveis sobre tudo que foi feito, pois tudo foi feito por suas mãos e para sua glória.

Ele é Senhor por ser Rei e Criador. Dele vieram todas as coisas, os céus e a terra também, sem dúvida. O mundo pertence a ele, com seus montes e os animais que o conhecem como seu Criador: "Pois são meus todos os animais dos bosques, e sou dono do gado nos milhares de colinas. Conheço cada pássaro dos montes, e todos os animais dos campos me pertencem" (Sl 50.10-11). Deus é o Senhor dos céus, da terra que nos contém, e Senhor do corpo que tentamos ao máximo controlar individualmente. "Não podem dizer que nosso corpo foi feito para a imoralidade sexual. *Ele foi feito para o Senhor*" (1Co 6.13).

Com o Senhor, há um domínio soberano que lhe é devido como Mestre de todos e servo de ninguém.

A autoridade de Uzias sobre a pequena parte do mundo que Deus lhe permitiu governar era limitada em tempo e escopo. Judá, com seus milhões de habitantes, não passava de pó em comparação com o universo sobre o qual Deus é Senhor. O reinado de Uzias durou um total de 52 anos. Não é um período pequeno, mas nem se compara com a eternidade pela qual Deus sempre reinará. Ele é o Rei dos reis e muito mais: "Pois o SENHOR, seu Deus, é Deus dos deuses e Senhor dos senhores. É o grande Deus, o Deus poderoso e temível" (Dt 10.17). Não há nenhum ser soberano sobre tudo além de Deus — santo.

O Deus santo está vivo e muito bem, como Rei de tudo entronizado de maneira especial. O trono de Deus é "alto e exaltado" (Is 6.1, NVI). Talvez você imagine que essa é uma menção a altitude e pode até ser, em certo aspecto. Contudo, não se trata de mera posição geográfica, mas, sim, de preeminência. A altura transmite a condição de supremacia. Fala da excelência de seu ser. Deus é alto e exaltado por ser superior a tudo. É infinitamente valioso porque só ele é Deus. É "o Alto e Sublime, que vive na eternidade, o Santo" (Is 57.15). Achamos este planeta especial e ele é mesmo, pois Deus o fez assim. No entanto, mesmo com toda sua glória derivada e valor relativo, para Deus a terra é como um móvel, um banquinho no qual ele apoia os pés. Ele disse acerca de si mesmo: "A terra é o suporte de meus pés" (Is 66.1).

Em outras palavras, Deus governa com poder que não precisa pegar emprestado. Ele sustenta a órbita do mundo e o calor do sol com uma força que Sansão desconheceu. É majestoso, um Rei sem igual. Todos os tronos debaixo dele são minúsculos e sem comparação. Seus caminhos são exaltados e *mais altos* que os nossos porque ele é. Ele é o Altíssimo, exaltado sobre tudo que há, pois tudo que há pode até ser bom, mas jamais será Deus. Tudo de maravilhoso que você já experimentou — amor, comida, sexo, riso, amigos, pais, filhos, sono, trabalho, dinheiro, qualquer coisa que você quiser — não consegue competir com a beleza de Deus. O Altíssimo se denomina o Santo e pergunta: "A quem vocês me compararão? Quem é igual a mim?" (Is 40.25). Ninguém, Senhor — santo.

Como se o cântico já não fosse o bastante para o profeta suportar, a visão de Deus, cuja borda do manto enchia todo o ambiente, o deixou sem lugar para ir e sem forças para se mover. A presença divina abalou os alicerces (v. 4). Enquanto o templo estremecia sem trégua, Isaías não louvou. Ele sabia as palavras certas a dizer, coisas verdadeiras a declarar. Sabia que diante dele se encontrava o "SENHOR dos Exércitos" (6.3) e "o Poderoso de Israel" (1.24). Ele poderia ter se convidado a participar do cântico dos serafins, enquanto estes entoavam uns para os outros o sagrado hino sobre seu Rei. Decidiu não fazê-lo, porém, e escolheu primeiro proferir uma palavra bem familiar: "Ai".

"Ai de mim! Estou perdido! Pois sou um homem de lábios impuros e vivo no meio de um povo de lábios impuros; os meus olhos viram o Rei, o SENHOR dos Exércitos!" (6.5, NVI). Depois de ver o Deus santo, Isaías viu a si mesmo. E reconheceu instantaneamente o que se encontrava entre ele e Deus, o único verdadeiramente santo. Na presença do Senhor, sua culpa ficou clara, seus pecados se destacaram, descobertos, expostos, revelados sem filtro. Em voz alta, sem botão de mudo ou um dedo para colocar sobre a boca e fazer cessar o barulho. Ele confessou a impureza de sua língua, que comunicava a poluição que fazia parte de sua natureza.

De todos os atos que Isaías poderia escolher, por que o vemos confessando? Por que são *palavras* o que sai da boca dele nesse momento? Porque a boca revela do que o coração está cheio. Jesus falou sobre isso ao afirmar: "Mas as palavras vêm do coração, e é isso que os contamina. Pois do coração vêm maus pensamentos, homicídio, adultério, imoralidade sexual, roubo, mentiras e calúnias. São essas coisas que os contaminam" (Mt 15.18-20a). Ser um homem de "lábios impuros" era ser um homem impuro, ponto final.

Não é interessante como o simples fato de estar perto de Deus cria autoconsciência moral em Isaías e em outras pessoas?[6] Há algo acerca de Deus que é tão puro, mesmo sem palavras, que, quando nos aproximamos dele, fica bem claro que ninguém é como o Senhor, especialmente em termos de justiça. Não é que Deus tenha *feito* alguma coisa para Isaías ficar tão aterrorizado. Ele nem sequer disse ao profeta que era santo. Foram os serafins que o fizeram. Deus não se mexeu, não se aproximou, não subiu nem desceu. Simplesmente permaneceu *sentado*, mas isso bastou para que Isaías enxergasse sua própria maldade. Só por estar perto, o coração de Isaías e seus caminhos se tornaram impossivelmente perceptíveis. Também foram discernidos de forma verdadeira. Ele soube que seus lábios eram *impuros* e sua comunidade também. Permitiu que a realidade determinasse sua forma de se enxergar, em vez de usar uma palavra bonita e irrepreensível para se esquivar. Ele era um profeta mais honrado em sua forma de falar e viver do que o contexto em meio ao qual fora chamado a profetizar. Se ele tivesse permanecido ali de maneira racional, comparando a natureza de seu discurso com aqueles que chamavam o mal de bem e o bem de mal, poderia ter se considerado puro. Mas perante Deus, aquele em cuja boca não há engano, cujas perfeições são inalcançáveis, cujo padrão vai além das nuvens, muito além de qualquer céu que sejamos capazes de tocar — Isaías soube que era pecador.

A natureza dramática da clareza de Isaías em relação à própria condição de pecado destaca a excelência moral do Senhor que a provocou. É a intensidade daquilo que ele aprendeu sobre si que prova que o Deus alto e exaltado é também *luz*, ou seja, moralmente puro. "Deus é luz, e nele não há escuridão alguma" (1Jo 1.5). Com frequência, a luz é usada como metáfora para justiça. Em Provérbios: "O caminho dos *justos é como a primeira luz do amanhecer*" (Pv 4.18). Em Filipenses: "Façam tudo sem queixas nem discussões, de modo que *ninguém possa acusá-los*. Levem uma vida *pura e inculpável* como filhos de Deus, *brilhando como luzes* resplandecentes num mundo" (Fp 2.14-15). Jesus é chamado de "luz do mundo" e quem o seguir receberá "a luz da vida" (Jo 8.12).

Uma vez que Deus é luz, nele não há trevas. Não há nenhum mal dentro dele. Nenhum coração manchado, nem mãos impuras. Seus pensamentos são sempre bons, seus motivos são sempre puros. Tozer, ao comentar sobre a santidade divina, afirma: "Ele é absolutamente santo, com uma plenitude infinita e incompreensível de pureza que o torna incapaz de ser diferente de quem ele é".[7]

De manhã, quando o sol nasce e brilha em sua parte do mundo, olhe na direção dele se conseguir e saiba que Deus é mais brilhante. A luz radiante e incandescente que irradia do ser de Deus tem efeito luminoso. Como acontece com qualquer fonte de luz, elimina as sombras, revela o que se escondia detrás delas, denuncia o que acontece no escuro e traz à tona os segredos que não consegue guardar. Todo aquele que ama o mal odeia a luz por causa disso. "Quem pratica o mal odeia a luz e não se aproxima dela, pois teme que seus pecados sejam expostos" (Jo 3.20). O homem contemporâneo mantém a Bíblia fechada na tentativa de apagar sua luz. Outros fabricam meias-verdades sobre Deus ou recusam a ortodoxia a fim de manter o Filho do lado de fora. Isaías não fez nada disso, nem poderia, mesmo que tentasse. Quando estava próximo ao trono do Santo, a virtude suprema do próprio ser de Deus forçou tudo que não se parecia com Deus dentro de Isaías a sair do esconderijo.

No capítulo 6 de Isaías, deparamos com uma visão de Deus que prepara a mesa para nossa santa comunhão com ele. Conforme já vimos, sua santidade engloba tanto sua transcendência quanto sua pureza moral. Tanto seu valor extraordinário sobre todas as coisas quanto seu compromisso irrevogável de honrar seu nome. O Senhor usa seu poder para o bem. É um rei sem mácula, em um trono independente do tempo. Ele é alto e exaltado, porém, ao mesmo tempo, santo o suficiente para se humilhar até a morte. Ressuscitou para se assentar novamente no lugar que lhe pertence por direito, no qual as criaturas cantam verdades a seu respeito (Ap 4.8). Por meio dele, recebemos um reino inabalável. Quando nos achegamos a ele, nos encontramos com Deus. E ficamos sabendo o que não tínhamos como saber antes: que esse Deus e Rei é santo.

# 2

# Santo, santo, santo: perfeição moral

Jesus entrou no barco de Pedro como ele mesmo. Não havia mudado muita coisa desde a morte do rei Uzias. A Palavra se fez carne. Nascido de uma virgem, agora humano também, estava com trinta anos de idade. Naquele dia, em Lucas 5, suas roupas eram bem diferentes das que o profeta vira. Não havia manto nem bordas enchendo o barco, como haviam enchido o templo. O som ao redor não era angelical dessa vez, mas havia bastante barulho. As pessoas conversavam. Algumas cochichavam acerca do novo profeta que chegara à cidade, fazendo coisas jamais vistas. Tudo isso acontecia em frente a um lago que negara aos pescadores qualquer recompensa pelo trabalho na noite anterior. Dessa vez, ele não estava em um templo recebendo o louvor dos serafins, nem em um arbusto que não se consumia. O lugar onde Jesus se sentaria agora e de onde Deus falaria era um barco.

Após terminar de ensinar, Jesus se virou para Pedro e o instruiu a jogar as redes no mar (Lc 5.4). Pedro já fizera isso — a noite inteira, para falar a verdade — sem nenhum peixe para contar a história. Mas fez o que Jesus mandou, mesmo que parecesse inútil. A rede, até então vazia, começou a se encher com os mesmos peixes teimosos que não se deixaram pegar por nada antes do amanhecer. Era como se tivessem sido chamados pelo nome ou conduzidos até a rede por alguma força invisível. Assim como o vento trazia o maná, a correnteza do lago trouxe os peixes. Aliás, foram tantos que a rede começou a se rasgar (v. 6). Toda essa experiência com os peixes, naquele lago, em seu barco, fez Pedro concluir que algo fora do natural ou mesmo fora do normal estava acontecendo. E aconteceu porque o outro homem dentro do barco era mais que um mestre, um profeta ou um curandeiro. Mais que o filho de Maria, ele era Deus.

"Por favor, Senhor, afaste-se de mim, porque sou homem pecador", disse Pedro para Jesus (v. 8). Foi uma reação semelhante à de Isaías, ao declarar: "Ai de mim! Estou perdido! Pois sou um homem de lábios impuros e vivo no meio de um povo de lábios impuros; os meus olhos viram o Rei, o SENHOR dos Exércitos!" (Is 6.5, NVI). Isso não deveria surpreender, se nos lembrarmos de que Pedro e Isaías disseram isso na presença da mesma pessoa (Jo 12.41). Conforme já debatido, o mais intrigante nas duas respostas é que estar na companhia de Deus não inspirou louvor primeiro, mas confissão. Uma profundidade de autoconsciência, acompanhada por medo real. Os dois se enxergaram de maneira diferente diante da visão de quem Deus é, como se, por aproximação, seu coração e sua natureza tenham se desnudado e se exposto à luz. O próprio ser de Deus entrou em contraste moral com o deles, de modo que não havia mais nenhuma justificativa interna para apagar a verdade acerca de si mesmos. Estar perto daquele que é luz e em quem não há trevas (1Jo 1.5) iluminou a consciência de ambos para entender algo bastante simples: que Deus é santo e eles não o eram. A santidade transforma a honestidade em obrigação. Quer nos enxerguemos como comunicadores da verdade de Deus, assim como Isaías, quer como simples trabalhadores, nosso título diz muito pouco acerca de quem *realmente* somos. Não importa o que fazemos e como nos identificamos, quando nos aproximamos de Deus, vemos a verdade e nada além da verdade. Entendemos que nós não somos aquilo que Deus é: santo.

Deus é santo; portanto, Deus também é sem pecado. Dizer que Deus é sem pecado significa afirmar que ele não tem defeitos. Dizer que Deus não tem defeitos é o mesmo que afirmar que ele é moralmente puro. É difícil ou, no mínimo, interessante imaginar um ser tão diferente de nós a esse respeito. É alguém em cuja boca não se consegue achar engano (1Pe 2.22) e cujos olhos são puros demais para olhar qualquer coisa perversa (Hb 1.13). Mesmo que seja difícil imaginar alguém assim, não ousamos pensar nele de qualquer outra maneira. No instante em que começamos a pensar em Deus como alguém que é qualquer coisa além de santo, passamos a imaginar um deus completamente diferente.

## Perfeição moral e a lei

Se precisarmos de alguma evidência para provar a perfeição moral de Deus, a lei a fornece. "Assim como a santidade das Escrituras demonstra a divindade de seu Autor, a santidade da lei revela a pureza do Legislador."[1] Nossa relação com a lei não é exatamente de amor e amizade. No entanto, não importa como aprendemos sobre ela, seja por meio de conselhos ou da consciência, reagimos resistindo a toda a bondade que ela tem a oferecer, provando algo profundo e sombrio a nosso respeito. O principal é que não gostamos de ser como Deus. Isso não nega a realidade de que nossa condição pecaminosa é uma paródia e uma forma tola de nos divinizar. A serpente continua a incentivar a descrença, prometendo que nos tornará "semelhantes ao Altíssimo". Contudo, nossa motivação nunca foi ser como Deus em termos de justiça, mas, sim, de direitos.

Desejamos autoridade suprema, fincar nossa bandeira em solo superficial e reivindicar a nós mesmos e a outros como propriedade nossa. Somente quando a lei é colocada à nossa frente que, em seu espelho, vemos que não nos tornamos nem um pouco como Deus. Refletimos apenas a imagem de Satanás. Isso acontece porque "a lei em si é santa, e santos, justos e bons são seus mandamentos" (Rm 7.12). A lei é santa porque quem a fez é santo e a resposta a ela em completa obediência (se possível) teria tornado todos nós bons. O problema é: "Apenas Deus é verdadeiramente bom" (Mc 10.18) — ou seja, ninguém é santo senão Deus.

Analisando-a de perto, a lei nos fala sobre a natureza ética de Deus. Se observarmos com a curiosidade de uma criança no colo da mãe, os cinco primeiros preceitos do Decálogo (os Dez Mandamentos) revelam o valor de Deus. O inverso do primeiro princípio — não ter outros deuses além de Deus — seria um endosso à idolatria, caso fosse revertido e reformulado, ordenando Israel a "ter outros deuses perante Deus". Se, no monte Sinai, Deus houvesse trovejado essas palavras, o bezerro de ouro, construído logo depois que a fumaça se dissipou, teria sido uma afronta a Deus provocada por ele mesmo. Seria o mesmo que dizer que Deus estava recomendando a maldade. E o que seria a maldade, senão a recusa em honrar a Deus como Deus? A ordem de qualquer outra coisa diferente da lealdade absoluta a ele seria não só um mal para o qual Deus exigiria expiação, como também a promoção de uma mentira. A mentira seria que outros deuses, feitos por mãos, pensamentos ou qualquer outra coisa, poderiam em verdade ser Deus também. Como se tivessem criado os céus e a terra, como se antes de qualquer outra coisa ser feita, eles também existissem. Como se pudessem cumprir as próprias promessas, salvar, justificar ou santificar um pecador. Mas somente um demônio contaria esse tipo de história.

Logo, mantém-se a realidade de que Deus jamais nos mandaria adorar qualquer coisa além dele mesmo. "Seria possível ele anular o mandamento de amá-lo sem revelar certo desprezo por sua excelência e seu próprio ser? Antes de poder ordenar uma criatura a não amá-lo, precisaria se tornar indigno de amor e merecedor de ódio. Essa seria a maior das injustiças — ordenar que odiássemos aquilo que é digno somente de nossas mais elevadas afeições."[2]

Se você parar para pensar um pouco de olhos semicerrados e com a mão no queixo enquanto analisa a segunda metade dos mandamentos, descobrirá mais acerca de como Deus é. Deus ordena a Israel ali aquilo que ele mesmo é. Amor não é Deus, mas Deus é amor e, por sê-lo, é ativo em sua maneira de distribuir esse amor. Homicídio, roubo, adultério, desonestidade e cobiça são padrões de comportamento e posturas do coração que não existem em Deus, não apenas porque ele é amor, mas porque é santo. É a santidade que torna o verdadeiro amor possível. Sem ela, o amor é puramente sentimental, facilmente equivocado e incondicionalmente condicional. Uma vez que Deus é moralmente perfeito, seu amor é algo vivo literalmente incapaz de desonrar a criação. Por isso, imagine mais uma vez o inverso do dever de amar o próximo. "Matarás, furtarás, adulterarás, mentirás e cobiçarás" — se essas fossem as ordens de Deus, ele se revelaria como um grande terror. Aquele que odeia tudo que criou, resoluto em destruir e destituir todos os seres humanos de sua dignidade. O amor meio descompromissado, egocêntrico e propenso à adoração de ídolos que exemplificamos tão bem seria o ideal supremo e a própria definição desse modelo, pois não haveria um padrão moral nos chamando a alçar voos mais altos. Deus seria um instigador do ódio, e nossa obediência a um estilo de vida tão animalesco faria deste mundo que conhecemos o inferno que sempre foi.

Aquilo, ou melhor, "aquele" que descrevi acima se parece muito mais com Satanás do que com Deus, mas quem você acha que espelhamos quando a santidade de Deus é desconsiderada em nossas definições de quem ele é? O ser divino é contrário a todas as maneiras de funcionamento do mundo (1Jo 2.16), tanto na esfera transcendental quanto na parte ética. As experiências de Pedro e Isaías testemunham a esse respeito. De igual modo, nosso repúdio natural da lei quando não convertidos, conforme ensinado, lido, pregado e cantado para nós revela nossa condição pecaminosa (Rm 7.7). Nossa natureza pecaminosa é o motivo exato para a necessidade de responder com "ai" à presença do Santo. A lei ressalta nossa escuridão porque quem a instituiu *é* luz. Revela nossas impurezas porque o Legislador *é* puro.

## Perfeição moral e Cristo

Em sentido real, a lei nos ajuda a entender Deus. Por trás de suas ordens, há impressões digitais de uma mão santa. Mesmo nesse caso, porém, a lei pinta um quadro que ainda é insuficiente, como se sacudíssemos a Polaroid só para descobrir que a fotografia continua incompleta. Para que, então, precisamos olhar a fim de explicar melhor quem Deus é? Ou, para ser mais específico, como a santidade de Deus se materializa na vida real? Podemos até pedir para ver sua glória, mas nos resta apenas a morte ou uma fenda, se Deus permitir que o vejamos. Felizmente, aquilo que Moisés pediu em Êxodo 33.18 ("Peço que me mostres tua presença gloriosa") lhe foi concedido, bem à sua frente, em Mateus 17.2-3 ("Enquanto os três observavam, a aparência de Jesus foi transformada de tal modo que seu rosto brilhava como o sol e suas roupas se tornaram brancas como a luz. De repente, Moisés e Elias apareceram e começaram a falar com Jesus"). Ele recebeu aquelas pedras muito pesadas e as entregou a Israel, pois a lei foi dada por intermédio dele (Jo 1.17), mas devemos incluir um brado de louvor e aleluia em alta voz aí mesmo, pois depois de Moisés veio Aquele que nos mostrou *exatamente* como se apresenta a santidade absoluta de Deus.

Logo depois de João nos contar sobre a Palavra (também conhecida como Jesus do nosso lado da encarnação) ser Deus e estar com Deus, ele escreve que ninguém jamais viu a Deus, mas Jesus o revelou (Jo 1.18). Não sou nenhuma especialista em grego, mas deixarei minha língua materna de lado por um instante a fim de chamar atenção para a palavra *eksēgéomai*, que, traduzida, significa que Jesus *explicou* Deus, ou, dependendo de qual versão da Bíblia você ler, Jesus o *declarou*. Trata-se da palavra que dá origem ao termo teológico "exegese". Ampliando ainda mais a ideia, Jesus Cristo é, então, "a exegese de Deus, a exposição de sua realidade oculta".[3] Se Deus fosse um sermão, Jesus seria o único qualificado a expô-lo. Ele é "a imagem do Deus invisível" (Cl 1.15) e "a expressão exata do seu ser" (Hb 1.3, NVI). Portanto, conforme declara muito bem Michael Reeves, "Nossa definição de Deus precisa se basear no Filho que o revela".[4]

O que aprendemos sobre a perfeição moral de Deus ao olhar para o Filho? Bem, descobrimos que o Filho é assim como Deus. Ele também não tem pecado nem mancha, é moralmente puro, imaculado, inculpável e santo. Neste mundo, não cometeu nenhum pecado, nem havia qualquer pecado nele (1Pe 2.22; 1Jo 3.5).

Ao passo que nossa cultura tende a ignorar a natureza moral de Deus, os demônios não o fazem. O mais irônico é que esses seres caídos, relegados às trevas enquanto aguardam o fogo eterno, testemunham de que Jesus é "o Santo de Deus" (Lc 4.34) muito mais rápido do que nossos companheiros de espécie. Eles sabiam o que isso significava. Quanto a nós, quem sabe digamos que Jesus foi um homem bom, digno de ser imitado, mas qual é mesmo o significado de "bom" para nós? Para muitos, ele é bom porque se adequa aos padrões morais da sociedade. Polido, generoso, justo, pacífico, tolerante, vegano, educado e inclusivo. Esse Jesus talvez seja bom, mas seria ele o Santo? Essa é uma pergunta real e, em resposta, devo dizer que a santidade (ou a bondade) jamais deve ser determinada pelos caprichos, desejos e padrões de um ser criado ou até mesmo de toda uma cultura. Sobretudo quando as ideias de uma cultura são tão facilmente influenciadas pelos corações enganosos que a compõem, bem como por sua instabilidade generalizada, uma vez que assume formatos diferentes, em conformidade com sua era. Jesus se portou generosamente, como se segurasse um dicionário. Nele, cada parte de Deus, à semelhança humana, traduz o invisível. Deixando de lado a metáfora por um momento, só quero dizer o seguinte: Deus define Deus.

Prestei bastante atenção a Jesus e como ele lidou com a tentação no deserto (Lc 4.1-13). Poder observar as estratégias e razões para Cristo ter resistido às provocações de Satanás cria, para mim, outra maneira de entender a santidade. É ver o que a santidade faz quando testada, virada para outros lados a fim de que se possam retratar diferentes ângulos da mesma imagem. Após Jesus ser mergulhado no rio Jordão, o Espírito que pousou nele como uma pomba o conduziu ao deserto.

Ali, por quarenta dias, de barriga vazia e corpo fragilizado, evidenciando sua inteira humanidade e os direitos dos quais abdicou para ficar assim tão fraco, ele foi tentado a fazer pão. Eu sei, eu sei — no deserto não há farinha, fermento, ovos e leite, mas Satanás sabia que nada disso importava, se Jesus era o Filho de Deus. Desde o início dos tempos, Jesus tem criado e sustentado de maneira sobrenatural. Por ser a Palavra divina encarnada, ele poderia transformar pedras em pães pelo poder de sua palavra (por isso Satanás diz a Jesus: "ordene que esta pedra"), assim como ele fizera com a luz. E não é só isso: ele também poderia acessar dentro de si a mesma agência criativa exibida a Israel quando do céu caiu pão (o maná). Consigo visualizar a cena agora mesmo, o diabo apontando para as pedras espalhadas pelo deserto, na expectativa de que Jesus se lembrasse de seu poder e de sua autoridade divina, a fim de direcioná-los para preencher o vazio do estômago. E ele poderia muito bem fazer isso, caso *quisesse*. Afinal, ele é Deus. Mas ele o faria e *queria* isso? Como a santidade se envolveria?

Ali estava ele, no deserto, tão faminto quanto nunca, e o diabo determinado a usar o alimento como isca, na esperança de que o Segundo Adão fosse como o primeiro. Sem a menor propensão a entreter a companhia do demônio por muito tempo, Jesus cita Deuteronômio e declara as palavras de Moisés em resposta ao tentador: "As pessoas não vivem só de pão" e o restante da frase diz: "mas de toda palavra que vem da boca do Senhor" (Dt 8.3). Isso é santidade em ação.

Note que Jesus não fala nenhuma palavra além das do próprio Deus, e sua recusa completa em participar do plano maligno de Satanás se origina de seu compromisso com o Pai que ele sempre amou. Digamos, se fosse possível, que ele tivesse permitido o pensamento se instalar em sua mente por bastante tempo, visse as pedras e provasse o pão. A linha divisória entre tentação e pecado teria desaparecido e o Filho se tornaria pecador mesmo que a cruzasse em apenas um centímetro. Não em primeiro lugar por causa da mastigação, mas por causa daquilo que essa forma de uso do poder divino e a mordida que o beneficiaria estariam dizendo sobre Deus. É só dissecar as palavras "As pessoas não vivem só de pão, mas de toda palavra que vem da boca do SENHOR" que você verá o que quero dizer. O cordeiro imaculado e moralmente puro que é Jesus sabia que aquele alimento, muito embora representasse uma necessidade legítima, não era uma necessidade suprema. Sua permanência neste mundo, vivo e bem em seu corpo, não dependia completamente do alimento, mas do Deus que o proporciona. Dar ouvidos ao diabo e dar ordem às pedras seria falta de confiança na capacidade divina de sustentar o Filho. Além disso, um Deus santo não pode ser focado em servir a si próprio. Embora, diante das ordens de Jesus, uma pedra pudesse se transformar em pão, ele não poderia usar seus poderes para servir a si mesmo. O pecado, em seu âmago, é egoísta. A santidade, em seu âmago, é abnegada. A transformação de água em vinho e os cinco pães e dois peixinhos que alimentaram a multidão foram situações nas quais é possível ver Jesus saciando estômagos vazios e corpos humanos da maneira que só ele sabe fazer. Ele usou seu poder para sustentar outros, em vez de prover para si. Sem dúvida, o diabo sabia (ou talvez não) que Jesus veio para servir, não para ser servido e que seu corpo seria entregue como resgate por muitos, mas não se importava com isso. E, por essa razão, Jesus não precisava se preocupar com o ronco em sua barriga, nem temer que mais um dia sem se alimentar o mataria. É claro que ele morreria um dia. Todavia, não seria de fome, mas por entregar a própria vida.

Todos os textos bíblicos citados por Jesus naquela ocasião saíram do mesmo livro: Deuteronômio. Quando o diabo sugeriu que Jesus se prostrasse e o adorasse (como o diabo é tolo até mesmo por mencionar uma coisa dessas!), Jesus o rebateu com: "Adore o Senhor, seu Deus, e sirva somente a ele" (Lc 4.8; ver Dt 6.13). A exclusividade da adoração, da qual somente Deus é digno, é mostrada como um aspecto da santidade. É uma lei a qual Jesus era santo demais para desobedecer. Em seguida, veio a proposta demoníaca final de se lançar do templo. Pulando de lá e se jogando ao vento, deveria supor que os anjos de fato viriam a seu resgate. Seria o ato de colocar Deus à prova. Nesse caso, o Filho repetiria o pecado de Israel, isto é, duvidar de Deus e desafiá-lo a provar que cumpriria suas promessas (Dt 6.16). Mas é claro que Deus cumpriria sua promessa ao Filho, e o Filho sabia disso porque ele *conhece* a Deus. Satanás reivindicava o domínio sobre todos que já viveram. De Adão a Abraão. De Moisés a Davi. De Salomão a Isaías. De Malaquias a você e a mim. Ninguém, nascido de carne e sangue, jamais teve a liberdade moral e o poder inato de resistir a Satanás com tamanha eficácia além de Jesus, pois em verdade, em verdade eu lhe digo, Satanás nunca teve domínio algum sobre ele (Jo 14.30) — somente Deus.

Agora, o que podemos dizer sobre a perfeição moral de Deus após observar o Filho? Isso é igualmente extraordinário. Precisamos apertar os olhos e colocar a mão na testa, na esperança de que essa visão não nos mate. Percebe como somos diferentes dele? Mesmo quando encarnado, as tentações externas não encontraram lugar algum. Eva não conseguiu permanecer fiel depois de uma pergunta. Já o Filho, 33 anos após seu nascimento, permaneceu santo o tempo inteiro.

Já tentei vislumbrar como deve ser ter o coração puro sempre. Ver dinheiro e reconhecer que não passa de papel e sustento, não é um ídolo, tampouco uma identidade. Ver uma mulher e enxergar apenas uma mulher. Ou ver uma mulher e se lembrar de Deus. Ser maltratado e não precisar lidar com o orgulho à espreita, tentando-o a dizer algo de volta, implorando para que você prove que não é tão fraco quanto você tem a certeza de ser. E quando você devolve o favor, pecando por causa do pecado, a consciência o lembra disso. De que pecado Jesus poderia ficar se lembrando? Do de Adão, sem dúvida. E como todos que vieram depois dele se parecem tanto com seu antepassado. Stephen Charnock disse: "Não é defeito de Deus o fato de não poder fazer o mal, mas uma plenitude e excelência de poder. Não é a fraqueza na luz, mas, sim, a perfeição da luz, que é incapaz de produzir trevas".[5] Jesus, nascido da linhagem de Adão, mas sem sua natureza pecaminosa, nos mostrou o que de fato significa ser moralmente perfeito.

Havia evidências suficientes para provar que Jesus não tinha culpa, mas as acusações de que ele tinha uma natureza diferente ainda eram comuns. Alguns diziam que ele se aliava a Satanás para expulsar demônios e que era possível que os mesmos demônios que ele expulsava viviam dentro de si (Mt 12.24). Outros alegavam que ele não vinha de Deus; em outras palavras, não era do céu, mas da terra (Jo 9.16). Outros ainda o chamavam não só de endemoninhado, mas também de glutão e beberrão, por comer com pecadores. Também era acusado de ser totalmente insano (Lc 7.34; Jo 10.20). Tais acusações revelam o pressuposto de que sua natureza humana era só o que ele tinha e nada mais. De que seu coração não tinha a luz divina, pois fora escurecido pela marca dos dentes de Adão no fruto proibido e pela rebelião encontrada em seus ossos. De que ele também só nascera de carne e sangue, sem existência prévia, como o restante de nós, em contradição direta de seu testemunho de estar vivo antes de qualquer um existir (Jo 8.52-58). De que ele não passava de um homem comum, de boca blasfema, estômago glutão e estilo de vida embriagado. Outro grupo de homens se determinou a dizer que tinha a certeza de que ele era pecador (Jo 9.24), mas, na verdade, não sabiam do que estavam falando, nem sobre quem estavam falando. A projeção da própria situação pecadora no Santo era uma forma de resistir à verdade. De se esquivar da prestação de contas por meio de uma acusação. Se Jesus era tão pecador quanto alegavam, tudo que ele dizia acerca de si mesmo era mentira e justificaria a descrença. Mas se Jesus era tão santo quanto parecia, então tudo que ele dizia sobre si mesmo, sobre Deus, seu coração, seu mundo e o mundo por vir era verdade e digno de crença.

## Perfeição moral e nossa descrença

Suponho que, para eles e sobretudo para nós, crer no que Deus disse encontra paralelos com quem acreditamos que Deus seja. E se, em nossa descrença, houver uma parte de nós que não acredita verdadeiramente na perfeição moral de Deus? Não seria essa a raiz de todo pecado? Não crer que Deus é honesto a ponto de nos recusarmos a honrar quem ele é porque não acreditamos no que ele disse? Veja o exemplo de Eva. Provavelmente ela ficou sabendo por Adão, o qual fora instruído por Deus, que era proibido comer do fruto da árvore do conhecimento do bem e do mal. Em caso de desobediência, a morte seria imediata. Não sei por quanto tempo ela se recusou a comer e a se deleitar na aparente delícia do fruto. Independentemente do tempo, essa obediência dizia respeito a sua fé naquilo que Deus disse sobre a árvore. Seus pensamentos e sentimentos subjetivos não determinavam a qualidade da árvore, nem era moralmente aceitável comer de seu fruto, pois a Palavra de Deus havia excluído essa possibilidade. Não importava a aparência da árvore, o sabor do fruto, nem seus sentimentos por ela, era tão mortal quanto o diabo que chegou ao jardim com uma pergunta. Para Eva, ele perguntou: "Deus realmente disse que vocês não devem comer do fruto de nenhuma das árvores do jardim?". Para Eva, ele mentiu: "É claro que vocês não morrerão!" (Gn 3.1,4). Todos nós sabemos, é claro, o que aconteceu depois disso. Sabemos que Eva pegou do fruto, o comeu e ofereceu para Adão, que também o provou. Mas sabemos por quê? No instante em que Eva acreditou na palavra da serpente, rebelando-se contra a palavra de Deus, sua fé equivocada passou a refletir sua crença acerca da santidade de Deus. Para ela, Deus — não a serpente — é que estava mentindo.

Não são muitos os que têm a ousadia de chamar Deus de mentiroso alto e bom som, para que não sejam culpados do pecado de blasfêmia e não recebam perdão. Contudo, aquilo que a boca não diz o coração pode revelar. Nossa maneira de viver evidencia nossas crenças sobre Deus. Se ele é Senhor, nós o servimos. Se é Criador, somos humildes. Se é Salvador, nós confiamos. Todas as alternativas acima não foram discernidas sem ajuda. Tais atributos são comunicados por intermédio do mundo e da Palavra. O problema é que nossa natureza nos corrompe a mente, infla o ego, interfere na visão e obscurece o entendimento. Assim, quando Deus decide nos dizer algo, determinamos a integridade da mensagem de acordo com o que sentimos, em vez de levar em conta quem Deus revelou ser. Isso não quer dizer que toda descrença é emocional, mas, sim, que nosso processo de tomada de decisão a respeito do que acreditamos sobre Deus jamais é isolado de nossas afeições.[6]

Antes de sermos desacorrentados do pecado, no papel de escravos e amantes do erro, resistimos à verdade porque ela requer algo de nós. Ela diz ao coração aquilo que este se recusa a reconhecer. Diz que ele não é tão feliz quanto o sorriso que fabrica, nem tão pleno quanto alega ser. É assustador ouvir a verdade e de fato crer nela. Se, pelo poder da ressurreição de outro, decidirmos finalmente concordar com Deus, reconhecer que ele é o Criador de todas as coisas e, portanto, o dono de tudo, inclusive de nosso coração, mente e corpo, então somos obrigados a dar a Deus aquilo que ele merece por direito: todo nosso ser. É impossível fazer isso se você acreditar naquilo que o diabo fala. Que você é o único deus de que necessita. Que tudo foi dado ao ser humano. Que todas as coisas, do sexo ao sol, são suas, para você explorar como quiser. Que você pode sugar a beleza de tudo até que não seja mais bom e se transforme em um deus. Essa é a consequência inevitável de não crer no que Deus diz acerca de si mesmo e pegar aquilo que ele criou e chamar de Senhor. Entre outras coisas, não crer que Deus diz a verdade acerca do pecado e da morte deve significar que não há consequências, não há inferno, nem juízo. Se ele é *somente* amor e não juiz — algo que, na verdade, não seria amor algum — então podemos nos rebelar sem prestar contas. É essa pseudoliberdade que os pecadores preferem. A vida de acordo com os próprios termos. Céu e inferno ao mesmo tempo. Se tivermos coragem o suficiente para acreditar que Deus é quem afirma ser, só nos resta uma escolha: adorar. Mas se quisermos ser o centro das atenções, a fonte de nossa alegria e a autoridade final sobre a própria vida, então, dentro de nossa mente, Deus não pode ser santo. Ele precisa ser exatamente como nós: pecador.

A boa notícia é que a conservação da justiça divina não depende de nossa fé. Quer acreditemos, quer não em sua santidade, ele continuará a ser aquilo que sempre foi. A eterna falta de pecado em Deus significa muitas coisas, mas, nos termos mais simples, para nós, quer dizer que Deus não pode mentir. Ele "não é homem para mentir" (Nm 23.19) e é o Deus "que não mente" (Tt 1.2). Por ser santo, Deus enxerga as coisas como são. É o maior dos realistas, que jamais distorce a verdade, nem a ignora. Aquele que apresentou para Eva uma realidade alternativa, disse: "É claro que vocês não morrerão!" (Gn 3.4). As palavras podem ter parecido sinceras, como se fossem verdadeiras. Autênticas. Mas os mentirosos são assim — pelo menos os melhores. Conseguem mentir sem nem tirar o sorriso do rosto. A familiaridade com o engano é apropriada para Satanás, pois, de acordo com Jesus, ele é o "pai da mentira" que "sempre odiou a verdade" e, ao mentir, "age de acordo com seu caráter" (Jo 8.44). Há um mundo de diferenças entre Satanás e Deus, como você pode perceber, mas, em nossa luta para crer em Deus, é como se às vezes suspeitássemos que Deus assume uma natureza diferente, mais sombria. Quando Paulo afirma que nada "jamais poderá nos separar do amor de Deus" (Rm 8.39), recusamos o conceito, como se não fosse real para ninguém, sobretudo para nós. Quantos de nossos pecados começaram com a crença de que Deus não nos ama de verdade? Em quem, então, nós acreditamos nesses dias? Não em Deus.

Uma das estratégias de Jesus para lidar com a descrença dos judeus foi engajá-los em uma pergunta sobre sua pureza moral. Indagou: "Qual de vocês pode me acusar de pecado?

E, uma vez que lhes digo a verdade, por que não creem em mim?" (Jo 8.46). Se essa pergunta fosse feita por qualquer um, além de Deus, tal pessoa seria narcisista, cega ou ambos. O discípulo a quem Jesus amava escreveu: "Se afirmamos que não temos pecados, enganamos a nós mesmos e não vivemos na verdade" (1Jo 1.8). Qualquer ser humano que se coloca ao lado da lei, ergue a cabeça orgulhosa e diz ao mundo que é tão bom quanto ela requer está mentindo. Só Jesus pode se colocar ao lado da lei e ser sua imagem perfeita. Só Jesus pode dizer isso acerca de si mesmo e estar falando a verdade. É assim que ele *sempre* faz o que é agradável a Deus (Jo 8.29). Sempre. O tempo inteiro, consistente e perpetuamente, dia e noite, o Filho agrada ao Pai. Esse testemunho foi confirmado pelo Pai, que fez a declaração suprema acerca do Filho por ocasião de seu batismo: "Este é meu Filho amado, que me dá grande alegria" (Mt 3.17). Sem o testemunho do Pai e a vida sem pecado do Filho, todas as afirmações feitas por Jesus seriam, sem dúvida, apenas ilusões de grandeza e pior, Jesus entraria para a lista de falsos profetas da antiguidade. A esse respeito, C. S. Lewis disse: "Um homem que fosse somente um homem e dissesse as coisas que Jesus disse não seria um grande mestre da moral. Seria ou um lunático — no mesmo grau de alguém que afirmasse ser um ovo cozido — ou então o diabo em pessoa".[7]

Parece certo exagero se expressar como Lewis e dizer que ou Jesus é Deus (logo, santo, não um mentiroso) ou é um grande lunático. Mas de que outro modo seria possível descrevê-lo caso tenha mentido acerca de ser a ressurreição e a vida? E sua declaração de que ele e o Pai são um? E a afirmação de que antes de Abraão, ele já era, ou seja, alegando ser eterno? E a declaração de ter autoridade para perdoar pecados e de que, se alguém não crer nele, morrerá em seus pecados? Não existe meio-termo quanto às consequências terríveis que sobreviriam caso Jesus estivesse mentindo em relação a essas coisas. Oferecer-se como pão aos famintos e água aos sedentos somente para se desmentir e não ser nenhuma dessas coisas faria dele um mentiroso carente de ambos. Se esse fosse o caso, seríamos sábios ao negá-lo. Ninguém com bom senso deve dedicar sua lealdade a uma mentira. Contudo, essa não é uma opção, pois ele não é lunático, nem falso profeta. Ele é o caminho, *a verdade* e a vida. Conforme C. S. Lewis acrescentou: "Você pode querer calá-lo por ser um louco, pode cuspir nele e matá-lo como a um demônio, ou pode prostrar-se a seus pés e chamá-lo de Senhor e Deus".[8]

Se há uma coisa que desejo que você guarde no coração, é a seguinte: uma vez que Deus é santo, tudo que ele diz é verdade e tudo que ele faz é bom. Somente no Evangelho de João, Jesus diz "Eu lhes digo a verdade" 25 vezes.[9] Jesus era repetitivo para provar um conceito: tudo que ele dizia era verdade porque ele é cheio de verdade. Ao falar "Eu lhes digo a verdade", Jesus nos dá a garantia não só da importância do que ele está dizendo, mas, ao mesmo tempo, nos assegura de seu caráter santo e verdadeiro por trás das declarações. A mensagem é correta e digna de confiança. É isso que ele deseja que saibamos e sua boca o declara. Ou considere Jeremias 2.5, texto no qual Deus diz: "Que defeito seus antepassados encontraram em mim, para que se afastassem tanto? Foram atrás de ídolos inúteis, e eles próprios se tornaram inúteis". Um ponto de vista errôneo quanto à natureza ética imaculada de Deus nos tenta a duvidar de sua palavra, levando à negação de seu valor. Se seu caráter não é digno de confiança, é impossível crer em suas palavras.

Algo importante acerca da vida e das pessoas que conhecemos enquanto caminhamos pela existência é que ela é cheia de pecado e sofrimento. Não se passa um dia sem que alguém peque contra nós de alguma maneira. Nem todos são amados. Nascemos em um mundo no qual não é fácil dar a outra face, mas no qual as pessoas dão de ombros e não se importam nem um pouco. Alguns ainda vivem o luto das memórias que gostariam de ter, com a presença do pai, em vez de uma vida de ausência paterna. Há entre nós aqueles que sofreram traumas tão perversos que o corpo se esqueceu da dor a fim de se proteger do choque da lembrança. Não consigo nem imaginar quantas mãos precisaríamos para contar as vezes em que mentiram para nós, falaram de nós, abusaram de nós, nos trataram como objetos, nos ignoraram, abandonaram e rejeitaram. Se você parar para pensar, alguns de nossos pecados foram adquiridos como mecanismos de enfrentamento. Não estender amor porque já se aproveitaram de nós. Enfurecer-se ou irritar-se com facilidade porque há em nós uma mágoa que temos até medo de nomear. Este mundo jamais foi seguro como o céu. Assim, para nos proteger, seguimos pela existência nos resguardando dos traumas que ela traz. E eu me pergunto se, por trás de nossas dúvidas, bem lá no fundo, não existe a suspeita de que Deus também não é confiável. De que ele é como o pai que nos abandonou, a mãe que se esqueceu de cuidar de nós, o amigo que não nos ouve ou as pessoas em posição de poder que abusaram de sua autoridade. Assim, quando Deus se revela como nosso Pai celestial, Amigo fiel e Senhor, não abrimos mão do controle, nem entregamos a ele nossa vontade, pois erroneamente projetamos em Deus a natureza daqueles que pecaram contra nós. Vemos o céu com as lentes da terra. Enxergamos Deus com as lentes do medo.

Escute: as palavras e obras de Deus merecem confiança, pois é impossível Deus pecar contra você. Se ele pudesse fazê-lo, não seria Deus. Há bondade impecável em Jesus, o Salvador irretocável, o Cordeiro imaculado. Crer em qualquer outra coisa é imaginar um ser completamente diferente. "Ele não pode agir de maneira contrária a sua bondade em nenhum de seus atos, do mesmo modo que não pode deixar de ser Deus."[10] Uma vez que ele é Deus e um Deus santo, ele é sempre bom em todas as suas interações conosco. Sempre. Ou seja, o tempo inteiro, consistente e perpetuamente, noite e dia. "Ele é a Rocha, e suas obras são perfeitas; tudo que ele faz é certo. É um Deus fiel, que nunca erra, é justo e verdadeiro!" (Dt 32.4). Pense mais uma vez na lei e em como ela revela a natureza de Deus. Tudo que Deus ordenou, ele mesmo personifica. Deus honra (Êx 20.3-12). Deus é doador de vida (v. 13). Deus guarda a aliança (v. 14). Deus pega o que é dele e dá (v. 15). Deus fala a verdade (v. 16). Deus é cheio de contentamento, jamais carente de nada. Só anseia por nosso coração inteiro, para possuir e cuidar (v. 17). Aliás, a perfeição divina é o que mais desejamos nas pessoas à nossa volta. Queremos uma demonstração de integridade e amor fraterno que às vezes vemos nos mais santo dos santos, mas é o Santo que devemos contemplar. Em sua perfeição, tudo que ele sempre será é bom para nós, bom *por* nós.

Mesmo quando o sofrimento invadir, tentando-nos a amaldiçoar a Deus e morrer (Jó 2.9), lembremos do Deus em quem nosso sofrimento recebe compensação. Acerca dele, as Escrituras afirmam: "Embora traga tristeza, também mostra compaixão, por causa da grandeza de seu amor" (Lm 3.32). Mesmo quando sofremos dor, não é como se Deus tivesse mudado, ficado cruel ou causasse dor sem propósito. Deus não nos deixa só ajuntando os cacos quando tudo desaba. Por ser o Deus santo, ele se faz presente em nossa dor, com a promessa constante de redimi-la para nosso bem. "E sabemos que Deus faz todas as coisas cooperarem para o bem daqueles que o amam e que são chamados de acordo com seu propósito" (Rm 8.28). Sua transcendência torna possível essa promessa. Se ele fosse um subproduto do mundo, todas as circunstâncias incertas sobreviriam sem restrições. Independentemente de qualquer coisa, Deus é soberano sobre elas.

Ora, não valeria a pena nos alegrar por nada disso se o Soberano fosse desprovido de compaixão. De amor. De santidade inerente. O que aconteceria conosco se soubéssemos que ele tem poder, mas não o impulso de usá-lo para o bem? Mas nosso Deus não é político, não é um ser com autoridade sem justiça. Ao deixar o céu, ele enfrentou toda espécie de sofrimento, de uma forma que jamais conseguiremos entender por completo. O golpe final foi sentido quando o Pai derramou o cálice de sua ira sobre o Filho sem pecado, por nossa causa. Isso significa que Jesus não ignora o sofrimento, nem é impotente diante dele; pelo contrário, o conhece muito bem. Bem o bastante para oferecer empatia, mas também vitorioso o bastante para nos dar esperança. Conforme diz 1Pedro 5.10-11, "Deus, em toda a sua graça, os chamou para participarem de sua glória eterna por meio de Cristo Jesus. Assim, depois que tiverem sofrido por um pouco de tempo, ele os restaurará, os sustentará e os fortalecerá, e os colocará sobre um firme alicerce. A ele seja o poder para sempre! Amém".

Onde houver tempestade, creia em Deus. Onde houver calmaria, confie em Deus. Ele é santo demais para ser enganado. Santo demais para conduzi-lo a qualquer lugar além da verdade. Quando Deus lhe diz para lhe entregar "todas as suas ansiedades, pois ele cuida de vocês" (1Pe 5.17), não está mentindo. Nenhum engano se encontra em sua boca. Procure agora e você só encontrará luz. Podemos entregar a ele nossas preocupações, pois um Deus santo não pode ser apático.

Como posso dizer isso? Olhemos para Jesus mais uma vez, de novo em um barco. Quando as águas ameaçaram tragar toda a embarcação, os discípulos questionaram a compaixão do Salvador adormecido, dizendo: "Mestre, vamos morrer! O senhor não se importa?" (Mc 4.38). É cômico ver como a descrença funciona. Como fez os discípulos pensarem que Jesus não se importava com a vida deles, mesmo que ele tenha vindo a este mundo justamente para salvá-los. Assim como os discípulos, estamos dentro de um barco em águas turbulentas. Quando em terra, somos o estranho sangrando à beira da estrada. Nossa única esperança é que alguém manso e suave acalme a tempestade, cure nossas feridas e carregue nosso jugo. Olhe para a cruz e creia no Senhor ali pendurado. Ele é maior que o bom samaritano. Ele cuida até a morte, então acredite em sua palavra, entregue-lhe seus fardos e troque-os pela paz de Jesus.

Creia quando Deus lhe diz que você perderá a vida se tentar salvá-la, mas a encontrará se a perder por causa dele. Cristo não permitirá que você encontre a vida de nenhuma outra maneira, pois não há outro caminho. Os demônios lhe dirão que é possível viver sem Deus, mas a realidade que Cristo nos contou é que não há vida fora dele. Depois que a multidão o deixou para encontrar vida onde não é possível achar, Jesus perguntou aos discípulos se eles também queriam ir embora. Pedro respondeu: "Senhor, para quem iremos? O senhor tem as palavras da vida eterna. Nós cremos e sabemos que o senhor é o Santo de Deus" (Jo 6.68-69). Pedro reconheceu que o Santo não poderia mentir para eles.

Que suas palavras são verdadeiras e dignas de crença. Que onde Deus está, ali há vida.

Quando Deus diz que você receberá aquilo que pedir e encontrará aquilo que buscar (Lc 11.9), creia nele. O ato de pedir parece trivial quando você crê em um Deus que não atende pedidos, que vê as batidas à porta e ignora aquele que estende a mão. Deus não é como nós nesse aspecto, que vemos as necessidades alheias e pulamos para o próximo *post* ou não atendemos a ligação, negando auxílio. Deus não é um ídolo, um ser incapaz de responder quando abordado, de ouvir quando oramos ou de agir quando pedimos. No monte Carmelo, a diferença entre Deus e os ídolos foi a demonstração de que estes não tinham vida e, portanto, eram incapazes de responder a orações. A Baal, os falsos profetas disseram: "Ó Baal, responde-nos!". O resultado? "Mas não houve resposta alguma" (1Rs 18.26). O Deus santo tem vida em si mesmo e está sempre ciente daquilo de que precisamos, antes mesmo de pedirmos. Você ouve porque ele ouve. Você fala porque ele sempre falou. Você é a imagem dele, lembra? A capacidade de comunicação começou com seu ser sendo feito por e para ele. Tire da mente a mentira de que Deus não ouve, fala ou age quando pedimos. Ele está vivo o tempo inteiro, respondendo a todas as orações. Às vezes, com um "sim". Em outras, com um "não". Em muitas situações, com um "espere". E todas essas três são respostas. Todas as três são governadas por uma sabedoria transcendente, para nosso bem, sempre.

E o que mais deveríamos esperar do Santo? O Deus santo é bom o tempo o todo. O tempo todo, o Deus santo é bom. Esse Deus é digno de fé.

# 3

# Santo, santo, santo: transcendência

Moisés nunca vira nada como aquilo. Ele foi ao deserto sem esperar nada de novo. Eram apenas arbustos dispersos, como de costume. Dessa vez, um dos arbustos ao qual ele normalmente não prestaria muita atenção estava em chamas. Em qualquer outra ocasião, se um arbusto pegasse fogo, ele se consumiria. O cheiro de fumaça e as próprias cinzas seriam tudo que restaria. Mas o que agora queimava estava diferente, estranho de todas as maneiras. Ele ardia, mas mantinha a mesma forma. Se houvesse fumaça, não era dos galhos, mas da chama em si, uma vez que o fogo era independente do arbusto dentro do qual dançava. Aquela cena chamou a atenção de Moisés, uma sarça que ardia, mas não se consumia. Ao olhar para ela, perguntou-se por quê.

Então a resposta se pronunciou.

> Quando o SENHOR viu Moisés se aproximar para observar melhor, Deus o chamou do meio do arbusto: "Moisés! Moisés!".
>
> "Aqui estou!", respondeu ele.
>
> "Não se aproxime mais", o SENHOR advertiu. "Tire as sandálias, pois você está pisando em terra santa. Eu sou o Deus de seu pai, o Deus de Abraão, o Deus de Isaque e o Deus de Jacó." Quando Moisés ouviu isso, cobriu o rosto, porque teve medo de olhar para Deus.
>
> Êxodo 3.4-6

O arbusto queimava sem se consumir em Êxodo 3 por causa daquele que ali estava presente. Era a autorrevelação do Deus transcendente. A transcendência, conforme mencionamos um pouco antes, é a "alteridade" de Deus. Ele é infinitamente diferente. Ontologicamente separado. Único. Transcende todas as categorias, a menos que a categoria tenha acima de si o nome de Deus e junto dela, em contraste, todas as outras coisas. Todas as outras coisas, ou seja, tudo que existe. Deus não é uma mera versão superior e aperfeiçoada dos seres humanos. Ele não é transcendente simplesmente por saber mais do que nós. Não. Quando falamos, por exemplo, sobre o conhecimento transcendente de Deus, não é que ele sabe mais, mas, sim, que ele sabe tudo — e, para saber tudo, ele tem de ser um ser que existe de uma forma que nenhuma criatura consegue ser ou jamais será.

Isaías fez as seguintes perguntas retóricas: "Acaso o SENHOR já precisou do conselho de alguém? Necessita que o instruam a respeito do que é bom? Alguém lhe ensinou o que é certo ou lhe mostrou o caminho da sabedoria?" (Is 40.14). Pense nisso. E independentemente do que lhe tenha vindo à mente, seja a formação de uma série de perguntas ou a recordação do que você já sabe sobre a onisciência de Deus, lembre-se de quando foi que você aprendeu tudo isso. Esse conhecimento sobre Deus, ou acerca de qualquer outra coisa, não é inato. A única coisa que você sabia ao nascer era nada. Por meio da orientação de seus pais, do ensino de seus professores, da observação com sua visão, do estudo dedicado etc., você se tornou capaz de fazer aquilo que todos os seres humanos *precisam* fazer: aprender. Deus, por sua vez, jamais precisou de instrução em nenhum momento do tempo, nem antes dele. Caso precisasse, quem é que o ensinaria?

Antes deste livro — do papel, das mãos que o escreveram, da mãe que gerou a autora, das mães antes dela que banharam seus bebês, aguaram plantações, campos de algodão e limparam o assoalho das casas da África ocidental — sim, muito antes de tudo isso, existia a terra, um jardim, muitas árvores, uma delas proibida, duas pessoas, uma delas criada primeiro e a outra depois, ambas imaginando um Deus em três pessoas que ali estava antes de todas as coisas. Logo, antes de tudo, quando o Deus trino existia consigo mesmo, quem o aconselharia acerca de como criar a luz? Com que fonte, além de si mesmo, ele se sentaria com papel e caneta em mãos para anotar ideias para a criação do universo? Darwin? Sócrates? Platão? Aristóteles? Einstein? Hawking? Google? Twitter? Você?

Deus é absolutamente distinto, mas não separado a ponto de ser inatingível ou incognoscível, porém separado de nós por existir de maneira diferente. Por ser o Deus santo, é absolutamente único. Sua singularidade é o que o define como santo, pois, conforme já vimos, a palavra em si significa "cortar" ou "separar". Ele é superior a nós no próprio *ser*, totalmente diferente de nós em sua maneira de existir.

As definições da santidade de Deus com frequência giram em torno de sua perfeição moral, atributo que analisamos no último capítulo. Conforme vimos, a perfeição moral não é excluída do significado, mas também não é exclusiva do mesmo. Ao definir a santidade de Deus, estamos corretos em incluir sua justiça e retidão, mas, junto com tais atributos, existe a "alteridade" divina. R. C. Sproul disse o seguinte: "Quando a Bíblia chama Deus de santo, revela, antes de mais nada, que Deus é transcendentalmente separado. Está tão acima e além de nós que nos parece quase que totalmente alheio. Ser santo é ser 'outro', ser diferente de maneira especial".[1] Parece-me que, ao enfatizar os desdobramentos éticos do que significa ser *santo* e não dar a devida importância à natureza transcendental do termo, os teólogos criaram as condições para que nosso conceito de santidade fosse demasiadamente limitado, eliminando a medida necessária de deslumbramento e outros possíveis motivos para ser fiel.

Voltando ao arbusto que não se consumia, por que é possível observar a transcendência de Deus ali? Porque a planta conseguiu permanecer intacta. O que Moisés viu foi um arbusto e, dentro dele, uma chama. O fogo não pegou na seiva, nem consumiu as folhas. *Ele ardia sem qualquer ajuda.* O arbusto continha a chama, mas a chama não dependia do arbusto. Se fosse um arbusto aceso por qualquer outro além de Deus, o fogo *precisaria* do arbusto como combustível e para ter vida. Cada chama derivaria toda sua energia da fonte que a fazia queimar. Depois que o fogo pega em algo, seja na ponta de uma folha de papel ou nas árvores da floresta, ele só existe porque a coisa existe. O fogo só dura enquanto existe aquilo em que ele está queimando. Depois que a coisa se consome, o fogo vai embora, revelando o quanto o tempo inteiro as chamas necessitavam de algo. Mas aquele arbusto queimava sem se consumir porque o Deus que se manifestou nele não precisa de folhas, de seiva ou de galhos como combustível. Ele só necessita de si mesmo. Assim acontece com a chama. Ela não dependia do arbusto porque era completamente independente dele.

O que podemos discernir dessa teofania (uma manifestação pré-encarnada e visível de Deus)? O que ela revela? Que Deus é a síntese da independência. Ele é livre no sentido mais verdadeiro da palavra. Ou seja, é livre da necessidade de qualquer coisa além de si mesmo para *ser.* Essa é a diferença fundamental entre todas as outras coisas e Deus. Por que existe algo que não seja dependente de alguma coisa ou alguém para viver? A dependência é a marca dos seres criados. Tudo que *é* precisa de algo fora de si tanto para começar quanto para continuar. O próprio fato de todos nós termos um início nos diferencia do Eu Sou, que tem vida em si mesmo. Para a pergunta "Quem criou Deus?", a resposta só pode ser que Deus não foi criado e nem poderia ser; ele é porque é. Antes do princípio, ele era. Depois do fim, ele ainda será.

Na primeira frase da primeira página do primeiro livro da Palavra de Deus, está escrito: "No princípio, Deus criou os céus e a terra" (Gn 1.1). O princípio veio de algum lugar. Alguém precisava existir antes que qualquer outra coisa viesse a ser. O que isso diz acerca de Deus é que ele é autoexistente. Está vivo, não com fôlego emprestado, mas é mantido pela vida que tem em si mesmo. Deus não é derivado de nada, uma vez que tudo deriva dele. É o único capaz de dar aquilo que ele próprio é. Isso significa que quando o mundo, o tempo, as estrelas, o sol — e o primeiro homem a vê-lo brilhar, ao lado da primeira mulher que o fez rir — passaram a existir, a vida de todas essas coisas veio dele. Reconhecendo que ele tem vida e poder criativo interior para fazer e sustentar tudo que existe, compare Deus conosco e perceba o quanto somos diferentes. Para criar qualquer coisa, precisamos de ajuda. Um escritor precisa de papel ou de um computador, além de uma mente com memórias dadas e ordenadas por algo além do acaso. Deus só necessita de si mesmo. Por ser Deus, ele não depende de sua criação para nada. É distinto dela e, portanto, não pode jamais ser controlado, desafiado ou intimidado por ela. Se todos os mares do mundo se agitassem em um maremoto alto o suficiente para tocar as nuvens, largo o bastante para cobrir milhares de cidades, seus joelhos ainda se dobrariam e, por fim, se renderiam à ordem divina de se acalmar. Mais que isso, o mar nem pode se revolver longe de seu decreto ou de sua permissão, como se tivesse qualquer habilidade de conspirar contra Deus ou vida interna separada da palavra daquele que mantém tudo em seu devido lugar. Os oceanos não mexem um só centímetro sem a ordem ou o conhecimento de Deus, sem seu olhar vigilante e sua soberania divina. O que o mundo pode fazer para o Deus que o formou?

Ser autoexistente e independente tem ainda mais desdobramentos, que não tenho tempo de expressar aqui, mas outra coisa que merece nossa atenção é como Deus, sendo autoexistente e independente, não tem necessidades. "Ele é o Deus que fez o mundo e tudo que nele há. Uma vez que é Senhor dos céus e da terra, não habita em templos feitos por homens e não é servido por mãos humanas, pois não necessita de coisa alguma. Ele mesmo dá vida e fôlego a tudo, e supre cada necessidade" (At 17.24-25). A autossuficiência divina significa que nada falta em Deus. Ele é imutavelmente completo. Tozer afirmou: "Admitir a existência de uma necessidade em Deus é admitir incompletude no Ser divino. A necessidade diz respeito às criaturas e não pode se referir ao Criador. Deus tem uma relação voluntária com tudo aquilo que fez, mas nenhuma relação necessária com nada fora de si. Seu interesse pelas criaturas surge de sua soberana boa vontade, não de qualquer necessidade que tais criaturas possam suprir, nem da completude que possam levar àquele que é completo em si mesmo".[2] Se as pedras substituíssem o louvor de milhões que optam por não estender seu amor ou silenciar a adoração, Deus não ficaria vazio, como se precisasse de nosso louvor para ser completo. Se e quando nós imaginamos um Deus que necessita de nós para algo, estamos sonhando com um ídolo, não com o "Eu Sou o que Sou" (Êx 3.14).

## Não há ninguém como o Senhor

Por séculos, os cristãos têm o conhecimento de que Deus é Deus, incomparável a qualquer outra coisa além de si mesmo. Dizemos isso em nossos credos e cantamos em nossas músicas. Os santos que vieram antes de nós concordaram com essa realidade ao dizer: "Ninguém é como Jesus" ou "Não há ninguém como tu, Senhor". Ambas as confissões se originam de uma comparação fiel, feita com memórias e observações relacionadas às Escrituras. Eles colocaram Deus ao lado de tudo que há, a fim de identificar as diferenças. Isso resultou em um louvor instantâneo, dirigido ao Santo. Não são devaneios de um romântico teológico, mas, sim, o testemunho compartilhado pelos salmistas e profetas, que escreveram cânticos e entoaram louvores à transcendência de Deus muito antes de nós.

Podemos dizer mais uma vez: "Ninguém é como Jesus". E as Escrituras concordam. Há momentos em que Deus, demonstrando a inutilidade absoluta da idolatria, disse a Israel: "A quem vocês podem comparar Deus? Que imagem usarão para representá-lo?" (Is 40.18) e "'A quem vocês me compararão? Quem é igual a mim?', pergunta o Santo" (v. 25). Em orações por livramento, os salmistas apelam com frequência à singularidade de Deus — sua transcendência — como *razão para confiar* que ele viria resgatá-los: "Tua justiça, ó Deus, chega até os mais altos céus; tens feito coisas grandiosas. *Quem se compara a ti*, ó Deus?" (Sl 71.19). E: "*Nenhum dos deuses é semelhante a ti*, Senhor, nenhum deles pode fazer o que tu fazes" (Sl 86.8). Quando foi a última vez que a transcendência ou a santidade de Deus foi toda sua razão ou motivação para confiar nele?

Não vemos a transcendência ser mencionada pelos adoradores apenas nas orações que pedem auxílio a Deus. Depois que ele livra, como na ocasião em que Deus livrou Israel do Egito, a singularidade de Deus é louvada de novo, já que não há ninguém capaz de fazer aquilo que Deus faz, como levar toda uma comunidade a caminhar no meio do mar aberto, passando por terra seca ao longo de todo o caminho. Só lhes restava adorar a Deus, dizendo: "Quem entre os deuses é semelhante a ti, ó SENHOR, glorioso em santidade, temível em esplendor, autor de grandes maravilhas?" (Êx 15.11).

Os salmistas e os profetas não eram sentimentais ao insistir que Deus é completamente diferente. Em vez disso, eram doutrinários. Mesmo que nada soubessem, tinham, no mínimo, a consciência de que, no princípio, Deus criou os céus e a terra e apenas esse fato já separa Deus como aquele que está acima e além dos céus e da terra por ele criados, incluindo tudo que neles há.

Por mais incomparável que Deus seja, parece-me que o problema conosco, seres humanos, é que nos acostumamos tanto à ideia de Deus que o tratamos como se fosse comum. Creio, porém, que essa seja nossa configuração padrão. Tratar Deus como se ele fosse comum pode ser uma reação natural de quando ignoramos quem ele revelou ser. Mesmo Moisés, se não tivesse recebido a instrução de não se aproximar, teria feito isso. Ele precisou ser orientado acerca de como abordar Deus, para que não chegasse perto demais, para que tirasse as sandálias e respeitasse o chão santificado sob seus pés. O mesmo ocorreu com os israelitas, que foram advertidos a não tocar o monte sobre o qual Deus desceu, para que não fossem mortos após a aproximação irreverente. Sem temor respeitoso, nos dirigimos além do véu rápido demais para notar o desrespeito. Adentramos o lugar santíssimo e tratamos o propiciatório como se fosse um banquinho para os pés. A Oração do Senhor começa de tal modo que, se alguém decidir refletir um pouco, pode escolher não dizer nada. "Pai nosso que estás no céu, santificado [santo] seja o teu nome." Ao redor dele, os serafins se recusam a olhar. Em sua presença, Isaías confessou. Ao vê-lo, Isaías se prostrou com o rosto em terra. À frente dele, João caiu a seus pés como um corpo cuja alma foi embora.

O Deus santo não é comum. Ele é tão transcendente que Ezequiel ficou sem palavras ao tentar explicar sua visão de Deus. Leia sua tentativa desesperada de descrevê-lo em Ezequiel 1.26-28:

> Acima dessa superfície havia algo *parecido* com um trono de safira. No trono, bem no alto, havia uma figura *semelhante* a um homem. Da cintura para cima, tinha a *aparência* de âmbar reluzente que cintilava como o fogo, e, da cintura para baixo, *parecia* uma chama ardente que brilhava com esplendor. Estava rodeado por um aro luminoso, *como* arco-íris que resplandece entre as nuvens num dia de chuva. Essa era a *aparência* da glória do SENHOR para mim. Quando a vi, prostrei-me com o rosto no chão.

Mesmo com todas as palavras a sua disposição, ele não conseguiu encontrar nenhuma precisa o bastante para explicar o que viu. Tudo que conseguiu pensar em fazer foram comparações, dependendo do termo "semelhante" como substituto para aquilo que não dava para expressar com exatidão. Que outro ser você conhece que transcende a linguagem? Que não pode ser definido por especificidades?

Quando não levamos em conta a transcendência de Deus em nosso conceito a seu respeito, acabamos caindo em outro erro. Uma vez que Deus é único e pertence a uma categoria só dele, há momentos em que, no esforço de entendê-lo ou explicá-lo, pegamos o atributo de Deus que mais se parece conosco e transformamos a experiência humana em nossa lente para enxergá-lo. Usemos como exemplo a qualidade do "amor". Nós amamos o amor de Deus, e é assim mesmo que deve ser. Sem ele, estaríamos presos em nossa carne obstinada e no castigo eterno que nos aguarda como consequência. Somos propensos a amar os atributos divinos mais identificáveis com nossa humanidade ou cultura. Talvez seja por isso que, em nossos dias, o amor de Deus é mais estimado do que sua santidade. Nós entendemos de amor. Já de retidão e justiça, nem tanto. David Wells disse o seguinte: "Presumimos que sabemos como é o amor de Deus, pois se relaciona com nossa experiência de uma forma que muitos de seus outros atributos não o fazem. E por quê? A resposta óbvia é que não há paralelos, em nossa experiência, para muitas das outras qualidades divinas, como sua eternidade, onipresença, onisciência ou onipotência. Mas há paralelo para seu amor".[3]

O amor é algo em comum que todos nós compartilhamos. Fomos apresentados a ele primeiramente por aqueles que trocaram nossas fraldas, encurvaram a coluna para garantir que nossa postura permanecesse ereta, nos vestiram e encheram nossa barriga até termos idade suficiente para servir o próprio prato. A partir de Deus, começamos a passar adiante o amor que herdamos para amigos e aqueles que se tornaram mais que amigos, aguardando ansiosos pelo dia em que a pessoa amada usaria as palavras que nos diriam que também éramos amados de volta. Ah, sabemos muito bem como é amar e ser amados, mas o que acontece quando nossas experiências de amor se tornam a principal estrutura para compreendermos Deus? Acontece o seguinte: quando lemos a frase "Deus é amor" desconectada da compreensão fundamental de que ele é "santo, santo, santo", interpretamos o texto usando nossa experiência como comentário bíblico. Nossa vida se torna a referência cruzada. Fazemos a exegese de Deus com nosso mundo. E, inevitavelmente, acabamos com um deus criado à nossa imagem, esperando que ele se comporte exatamente como nós.

Por sermos finitos, é difícil confiar em qualquer coisa que não nos descreva em algum aspecto. Como atributo de Deus, a santidade parece muito fora de nosso alcance. O amor parece seguro, tangível, bom. Já tocamos o amor com as mãos, o envolvemos em cada dedo, como uma aliança de casamento em busca de um lar. Faz sentido desejar que Deus seja a personificação do melhor tipo de amor que já conhecemos, e até certo ponto ele é mesmo. No entanto, por ser transcendente e, portanto, único, diferente, distinto, incomparável e independente deste mundo, as pessoas, os sentimentos e os acontecimentos que definiram amor para nós são um espelho inadequado para encontrar Deus. Nossos pais, amigos e amores nos deram o grau de amor que eram capazes de dispensar e, ao recebê-lo, todos nós aprendemos, por meio da maturidade exausta ou de decepções, o quanto esse sentimento era inconsistente. O melhor ser humano nunca é bom o bastante, por mais sincero que seja, pois todo seu amor é manchado e distorcido por um coração duro e por uma natureza criada que o torna um substituto insuficiente do amor de Deus.

Imagine o quanto somos tolos, ao crescer em um mundo de amor parcialmente desenvolvido, moldado pelo sangue e trauma de Adão, transmitido de geração em geração, achando que essa é a maneira que Deus deveria ser? Não é de se espantar que nossa alma seja tão cinzenta, tão desprovida de frutos. Em nossa tentativa de compreender quem é Deus por meio de lentes humanas, acabamos rebaixando o padrão de quem é

Deus. Frustrados com a incapacidade divina de ser fraco, queremos que Deus seja como nós, para que, quem sabe então, a fé não seja uma tarefa tão desafiadora. Mas ele não pode, nem o fará, pois é santo demais para ser qualquer outro além de si mesmo.

## O Deus transcendente

Deus é diferente de qualquer ser que você já conheceu ou jamais conhecerá. Não pode ser comparado com ninguém. Seus caminhos não são os nossos caminhos, nem seus pensamentos os nossos pensamentos. Literalmente. "Pois, assim como os céus são mais altos que a terra, meus caminhos são mais altos que seus caminhos, e meus pensamentos, mais altos que seus pensamentos", diz o Santo em Isaías 55.9. Você olha para o solo e vê um lar para suas plantas. Deus olhou para o solo e sabia que daria a ele o nome de Adão. Ontem à noite, antes que o sol respondesse à ordem divina de nascer, a parte não iluminada do mundo descansou enquanto Deus não dormia, nem cochilava. O sono é desnecessário para Deus. Seu poder vem de dentro, é inesgotável, jamais sente falta de nada. É por isso que podemos buscar, pedir, confiar e implorar, orando por habilidade, poder ou paz, mesmo na calada da noite. Ele é o único que tem isso tudo para dar.

A sabedoria e a alteridade reveladas em seu evangelho também são de outro mundo. Por meio da sabedoria, o que Deus estipulou como critério para o perdão é verdadeiramente inacreditável. Para Alá, o deus de Joseph Smith (mórmons) e de Charles Taze Russell (testemunhas de Jeová), para citar apenas alguns, o céu só pode ser alcançado pelas obras. Levando em consideração a mente humana, faz sentido que um deus criado à nossa imagem exija que seus servos trabalhem, se esforcem e labutem para merecer o perdão que nos escapa. A graça não é algo que entendemos ou estendemos, no sentido mais fundamental. Trata-se de um conceito alheio a nós, que nos chega por intermédio de Jesus. Ele é a personificação do céu vindo a este mundo a fim de que os culpados possam ser considerados inocentes com base única e tão somente na graça. Mesmo em meio a tudo isso, o Deus transcendente nos é revelado. A nuvem de glória desce o bastante para darmos uma olhada por trás da fumaça. Todas as religiões falsas e os deuses que elas representam se revelam como uma religião nascida deste mundo, por oferecer salvação somente a quem merece. Mas o Deus incomparável, dono de toda sabedoria, ao usar o que o mundo considera tolo, fez o impensável. Ele organizou de tal modo que a única coisa que aqueles que não merecem precisam oferecer para ser perdoados é a fé. Ofertar a salvação dessa maneira é incompreensível; sim, de fato, é santo. Separado. Diferente da forma que qualquer outro deus estipularia as condições para a redenção. "Que outro Deus há semelhante a ti, que perdoas a culpa do remanescente e esqueces os pecados dos que te pertencem? Não permanecerás irado com teu povo para sempre, pois tens prazer em mostrar teu amor" (Mq 7.18). Nenhum, Miqueias. Nenhum.

Outro ponto que o faz divergir de qualquer ser criado é seu caráter "imutável", como diriam os teólogos. Acerca de si mesmo, ele disse: "Eu sou o SENHOR e não mudo" (Ml 3.6). Tudo ao nosso redor é mutável. Tudo se encontra em um estado constante de transformação. À medida que o tempo progride (muda), nós nos ajustamos, desenvolvemos, alteramos, transformamos. Tanto para o bem quanto para o mal. Talvez não gostemos de como essa mutabilidade afeta nossa cintura ou o viço na pele do rosto, mas ser propensos a mudar é uma dádiva, pois, sem mudança, a santificação seria impossível. Caso permitamos que a voz da descrença cresça mais do que deve, ela lhe dirá todo tipo de coisa sobre a natureza imutável de Deus. Não deixe a vida ficar difícil. Você pode se sentir tentado a crer que Deus mudou porque as circunstâncias mudaram. Mas, se assim fosse, ele não seria Deus; seria você. Esse é o modo de agir do ser humano, com sua mente indecisa. Confia em Deus na terça de manhã para duvidar de noite. Supõe que aquilo que o tornava digno de confiança não é mais perfeito nele agora, como se Deus fosse bom apenas às vezes. A perfeição divina não cresce, nem desaparece. Nele, "não há variação nem sombra de mudança" (Tg 1.17). Não há estabilidade maior em todo o universo criado do que em Deus.

Preciso dizer mais uma vez: "Não há ninguém como tu, Senhor". Ninguém é Criador, a não ser Deus. Ninguém tem todo o poder, a não ser Deus. Ninguém conhece o princípio e o fim ao mesmo tempo, a não ser Deus. Ninguém tem toda a sabedoria, a não ser Deus. Ninguém é capaz de perdoar pecados, a não ser Deus. Ninguém pode conceder vida eterna, a não ser Deus. Não há ninguém que não precise prestar contas a nenhum outro, a não ser Deus. Ninguém é imutável, a não ser Deus. Ninguém é bom, a não ser Deus. A quem então o compararemos, exceto a si mesmo? Somente quando nos tornamos *semelhantes a ele* podemos ser considerados diferentes do mundo em que vivemos, mas Deus não precisa se aproximar de ninguém para ser único. Ele já o *é*.

# 4
# Deuses profanos: idolatria

Aquilo que nos vem à mente quando
pensamos em Deus é a coisa mais importante
a respeito de nós mesmos.

Foi A. W. Tozer quem fez essa declaração excelente, não eu.[1] Mas quis que a frase desse início a este capítulo por ser reveladora, sobretudo quando usada como pergunta. Caso Tozer tivesse perguntado: "O que lhe vem à mente quando você pensa em Deus?", sua resposta, se não fosse alterada pelo autoengano, revelaria muito a seu respeito. E possivelmente quanto de você está encantado por uma mentira.

Aquilo que pensamos a respeito de Deus e aquilo em que cremos a respeito dele nem sempre são semelhantes, muito embora gostaríamos que fosse. Queremos olhar no espelho e ver a mesma face, mas a condição caída de todas as coisas significa que existem contradições invisíveis por toda parte. Nós *dizemos* que Deus é santo, como este livro deseja demonstrar, mas há pequenos deuses que podemos ter nomeado ou não que conquistaram essa atribuição por causa de nossa fé equivocada neles. Digo isso porque quando você interroga o *motivo* por trás de nossas diversas formas de adoração a ídolos, a linguagem usada descreve algo santo e a expectativa do adorador parece fé.

Uma ilustração disso no Antigo Testamento aconteceu no pé de uma montanha. O povo de Deus, desiludido pela impaciência, se enfadou por Moisés ainda estar no alto do monte com Javé e pediu a Arão que lhes fizesse deuses. A primeira evidência de que sua esperança era profana ficou clara com suas palavras: *faça* e *deuses*. As duas palavras deveriam ter ficado presas na garganta e ser sucedidas por uma tosse, um espirro ou um soluço, enfim, alguma reação do corpo para mostrar o quanto eram ridículas. Por definição, um deus verdadeiro não pode ser *feito*. É o Deus verdadeiro que *faz* e, nesse processo, sua asseidade é provada. Essa é uma palavra chique que resume como Deus é autoexistente. Ele não foi criado e, portanto, não é mantido por ninguém além de si mesmo. Conforme já debatemos, a vida dele é própria, não emprestada nem concedida por qualquer outro meio. Ele é tão ilimitado quanto a amplidão do céu, o mesmo azul que ele criou sem auxílio nenhum. O universo é obra de suas mãos somente. As mãos dele estariam à disposição para segurar caso precisasse de força, mas isso jamais acontece, pois um Deus verdadeiro não tem necessidades (At 17.25).

O mais irônico é que já projetei uma miragem dessa mesma ausência de necessidades nos outros. Ou seja, eu *ainda* opero com base em minha carência inerente, em meu desejo de autopreservação e/ou proteção. Deus não se preocupa com nada disso. Ele não pode existir de nenhuma outra maneira além da que sempre foi, o Autossuficiente. Assim, quando decide criar algo, ele o faz não para preencher um vazio, mas, sim, para possibilitar que tudo que ele é seja conhecido por outros.[2] Sua existência completamente independente e categoricamente diferente de tudo que ele criou (transcendência santa, conforme vimos) permite que interaja com liberdade diante de sua criação. Ele é capaz de salvar, livrar, ouvir, responder, confortar, restringir, transformar, criar, destruir, sempre e da maneira que decidir. Diferentemente de um bezerro *feito*... de ouro.

As crianças, os filhos e as filhas, as mulheres e assim por diante soltaram os pendentes brilhantes das orelhas. Tiraram os anéis dos dedos, olhando para cada um à medida que entregavam as joias para Arão, na expectativa do deus que ele faria do mesmo metal egípcio que antes usavam para se embelezar. Decidiram que as joias, quando derretidas e moldadas na forma de um animal, poderiam representar para eles aquilo que Javé já havia demonstrado. Queriam para si "deuses que nos guiem" a despeito da memória tão recente da nuvem durante o dia e do fogo à noite. Seu Deus havia se colocado entre eles, Egito e Israel, para protegê-los da mão pesada do faraó (Êx 14.19-20). Quando o sol nascia, Deus ia adiante deles em uma coluna de fogo, guiando todos os pés a seu lugar intencional. A noite poderia chegar tão depressa quanto a manhã, levando o sol para debaixo da terra. Porém, para mitigar a escuridão, havia uma coluna de fogo (Êx 13.21-22), útil para aquecer e dar conforto, e que também era luz, servindo para conduzir. Se queriam guia e proteção — desejos necessários e sem qualquer pecado, diga-se de passagem — sabiam exatamente em quem deveriam confiar para receber tais coisas. Entretanto, conforme explicou o salmista, "trocaram seu Deus glorioso pela estátua de um boi que come capim. Esqueceram-se de Deus, seu salvador, que havia feito coisas grandiosas no Egito" (Sl 106.20-21).

A idolatria sempre envolve uma troca. É um ato de magia, no qual o santo é trocado pelo profano, o único pelo comum, o transcendente pelo terreno, o Criador pela criatura. A troca da verdade sobre Deus por uma mentira, conforme declara Paulo, leva à adoração das criaturas, à glorificação do que foi criado (Rm 1.25). E conforme já afirmei em outras palavras, muitas das coisas tratadas como deuses ou ídolos não são santas em si mesmas. Falta-lhes o valor transcendental e a pureza moral que Deus possui em si. É interessante pensar nisto: como, em nossa busca por um Deus inventado, sempre somos compelidos a adorar algo ou alguém que existe como nós, com a inútil expectativa de que estes conseguirão nos dar o que está além de seu alcance.

O anseio de Israel era por um bezerro de ouro que tomasse a iniciativa para levá-los ao local onde mana leite e mel e os protegesse ao longo do caminho. Mas lembre-se: o bezerro de ouro não era um deus verdadeiro e, por sua natureza, também não era transcendente como o Deus de verdade. Durante o dia, Deus tinha a habilidade de se apresentar como uma nuvem. À noite, ele era fogo. Nenhuma criatura pode ir além do corpo em que habita, mas Deus não é como nós. Ele não se limita por nada, no céu ou na terra, no que diz respeito à forma com que escolhe se manifestar. O bezerro de ouro permaneceria para sempre como era, a menos que passasse pelo fogo. Jamais teria o poder de se revelar de maneira diferente para ser flexível em sua liderança de Israel: profano.

Os ídolos também são locais. São limitados pelo espaço e pelo tempo, assim como as criaturas. Como os israelitas esperavam que um bezerro de ouro os guiasse se ele nem era capaz de se movimentar sozinho? Ele só poderia ir até onde alguns seres humanos estivessem dispostos a levá-lo. O deus iria *com* eles, não *adiante* deles. À medida que fosse, com ajuda humana, não seria capaz de prever o que estava à frente, não só em termos de direção, mas também de tempo. Seu verdadeiro Auxiliador acabaria dizendo, por intermédio de Isaías: "Eu sou Deus, e não há outro semelhante a mim. Só eu posso lhes anunciar, desde já, o que acontecerá no futuro" (Is 46.9-10).

Novamente, por ser separado de todas as maneiras possíveis, seu Deus real, absolutamente único, existia fora do tempo.

O tempo, assim como eles e seu precioso bezerro, era uma criatura. A relação de Deus com o tempo é de soberano, não de servo. Por isso, tudo que o tempo chama de memória, Deus viu de maneira presente. Junto com ele estavam coisas prestes a vir, a essência do profético, acontecimentos do tipo "quase, mas não ainda" que as pessoas anseiam tanto por descobrir. Ele vê tudo, do princípio ao fim, ao contrário de um ídolo, que não pode lembrá-los do passado, nem fazer promessas para o futuro. "Que nos digam o que aconteceu há muito tempo, para que analisemos as provas, ou digam o que o futuro reserva, para que saibamos o que acontecerá. Sim, anunciem o que acontecerá nos dias por vir; então saberemos que são deuses de fato" (Is 41.22-23a). Mas tanto o povo como o bezerro estavam cegos quanto ao futuro das coisas, e nem isso pegou Deus de surpresa. Ele conhecia cada minuto daquele dia desde o momento em que colocou a lua na escuridão e inventou a noite. Que decepção teriam ao perguntar a seu deus não transcendente, sem vida, visão e conhecimento: "Para onde vamos a partir daqui? Há perigo lá também?": profano.

Muito embora seu deus não pudesse ser mais do que era e muito embora, ignorante quanto ao futuro, não soubesse o que estava por vir, Israel manteve a decisão de dar crédito ao bezerro por aquilo que havia acontecido antes de seu surgimento. Então os israelitas proclamaram acerca do bezerro de ouro: "Ó Israel, estes são os seus deuses que o tiraram da terra do Egito!" (Êx 32.4). Copiando o testemunho de Deus a respeito de si mesmo, atribuíram as palavras e obras do Senhor a uma coisa forjada que não conseguiu salvar nem a si mesma da profanação iminente de seu corpo feito por mãos humanas.

Crendo, muito provavelmente, que o bezerro era uma representação de Javé, como faziam os egípcios, que criavam ídolos para ser a imagem de seus deuses, Israel louvou o bezerro como se fosse um messias. Era um salvador dentro da própria imaginação, a despeito do testemunho de Moisés acerca de quem o enviara para efetuar a libertação. "EU SOU me enviou a vocês", Moisés dissera ao povo antes que as pragas assolassem todo o mundo egípcio (Êx 3.14). A autorrevelação divina como o "EU SOU" significava que *Ele é quem ele é.* Antes do tempo, ele era. Depois do tempo, ele continuará a ser. Totalmente independente e não criado, é absolutamente ilimitado em sua capacidade de salvar. Em termos de poder, por ser derivado de si mesmo, ele não precisa de permissão para revelar sua força, nem está desesperado por nada fora de si para supri-lo. Seu poder jamais se esgota, seja para transformar água em sangue, encher uma cidade inteira com tantas rãs quanto pessoas, ou fazer a natureza, os animais e os insetos que ela contém se dobrarem a sua vontade. A permissão para romper com seu modo costumeiro de funcionamento mostra que somente o Deus santo tem poder completo e inesgotável sobre toda a criação.

Em contraste, por ser soberano, governante supremo e criador dos céus e da terra, nada nos céus ou na terra é capaz de impedir Deus de libertar quem quer que ele deseje salvar. Para outros, o coração de pedra de faraó e os recursos que ele obtivera à custa dos oprimidos seria um sinal claro de retirada. Equivaleria a negligenciar uma salvação tremenda por perceber que o candidato a salvador não tinha vantagens suficientes sobre o faraó para vencê-lo, libertando todos sob seu poder. Mas o que é um coração endurecido para o Deus que o criou? O que é um governo opressor com todo seu dinheiro, seus carros de guerra, soldados e escravos para o Deus que demove e estabelece reis sempre que isso lhe apraz (Dn 2.21)?

Deus disse: "Será que meu braço era curto demais para resgatá-los? Será que me falta a força para redimi-los?" (Is 50.2, NVI). Qualquer resposta além de "não" tornaria o Deus justo tão sem poder quanto o bezerro que Israel fez para si. O governo soberano do Deus santo lhe dá a habilidade de usar pessoas e circunstâncias com o propósito de salvar, em vez de permitir que elas impeçam o processo de salvação.

Avancemos no tempo até Cristo, que, da perspectiva humana, pode parecer uma vítima que sucumbiu ao poder e à força dos líderes judeus. No entanto, as circunstâncias que eles instigaram e produziram não estavam alheias ao conhecimento e à permissão soberana de Deus. Pedro, ao se lembrar de como Deus usa pessoas más para cumprir seu propósito, afirmou: "De fato, isso aconteceu aqui, nesta cidade, pois Herodes Antipas, o governador Pôncio Pilatos, os gentios e o povo de Israel se uniram contra Jesus, teu santo Servo, a quem ungiste. *Tudo que fizeram, porém, havia sido decidido de antemão pela tua vontade*" (At 4.27-28). Jesus não foi vítima das conspirações de um governo ímpio. Em vez disso, foi participante voluntário do plano ordenado por Deus desde antes da criação do mundo. Jamais devemos esperar que algo profano feito por nossas mãos seja soberano ou poderoso o bastante para nos salvar de qualquer coisa, uma vez que toda a existência de um ídolo depende de quem lhe deu vida.

Devo acrescentar ainda que, para haver salvação, deve haver também um caráter pessoal santo naquele que salva. O bezerro de ouro podia até ter ouvidos na lateral da face e uma boca esculpida logo acima do queixo. Quem sabe o alto de sua cabeça fosse redondo, para simular a existência de um cérebro embaixo dos chifres. No entanto, mesmo com todos os símbolos externos de um ser vivo, era tão morto quanto um fantasma. É ridiculamente inútil confiar que um ídolo trará libertação, pela única razão de que os ídolos não estão vivos. A descrição do salmista comprova essa ideia: "Seus ídolos não passam de objetos de prata e ouro, formados por mãos humanas. Têm boca, mas *não falam*; olhos, mas *não veem*. Têm ouvidos, mas *não ouvem*; nariz, mas *não respiram*. Têm mãos, mas *não apalpam*; pés, mas *não andam*; garganta, mas *não emitem som*" (Sl 115.4-7). Se o bezerro de ouro de fato os havia tirado da terra do Egito, como sabia que estavam escravizados, se não tinha mente para compreender isso? Talvez pudesse saber de sua aflição caso tivesse ouvidos para escutar suas preces ao céu, mas nada disso. Aquilo que é morto também é surdo. Digamos que ninguém tenha orado, mas a opressão do povo tenha sido observada. Quem sabe então o bezerro conheceria o contexto do qual seus adoradores necessitavam ser libertos. O fato, porém, é que ele também não tinha olhos para enxergar seus problemas.

O Deus santo e transcendente que se revelou como o "Eu sou" está verdadeiramente vivo, pois, conforme já disse e direi novamente, ele tem vida em si mesmo. Se Deus fosse criado, para começo de conversa, ele não seria Deus, mas também sua vida seria derivada de outro, algo que o Deus "Eu Sou o que Sou" não pode ser. R. C. Sproul expressou essa ideia melhor do que eu: "Um ser necessário é um ser que não pode *não* ser. Ele existe pela mera necessidade de seu ser eterno, de sua asseidade. [...] Deus precisa ter o poder de ser dentro de si que não deriva de nada externo. Isso sim é um ser transcendente".[3]

Jesus disse que ele é "o caminho, a verdade e *a vida*" e também "a ressurreição e *a vida*" (Jo 14.6; 11.25). Só existimos porque ele existe. E continuaremos a existir por causa dele também, ao contrário de um ídolo, cuja vida é completamente imaginária. É a fé que temos em um ídolo que lhe dá a vida que esperamos que ele nos dê em troca. Paulo disse aos cristãos de Corinto: "Todos nós sabemos que, na verdade, o ídolo nada vale neste mundo", e que "há somente um Deus, o Pai, por meio de quem todas as coisas foram criadas e para quem vivemos. E há somente um Senhor, Jesus Cristo, por meio de quem todas as coisas foram criadas e por meio de quem recebemos vida" (1Co 8.4,6). Essa é uma verdade importante a se saber e na qual então crer, pois é o motivo para Deus ser *capaz* de salvar ou de fazer qualquer coisa.

Um deus sem vida não consegue ver você em seu quarto, ouvir o sofrimento silencioso preso em seu peito, nem compreender sua dor. Um ídolo não fala, por isso não é capaz de repreender, nem consolar nos momentos apropriados. E se nossos ídolos são meros seres humanos, podem até ter olhos que veem e bocas que falem ao coração, mas o que dizem e veem sempre é limitado se comparado a Deus, que não precisa chamá-lo para saber como você está. Se Deus não fosse real, nem vivo, todas as mortes que acontecem debaixo dele não o moveriam à ação, pois ele não seria capaz de se mover, nem mesmo de sentir. A salvação corresponde à compaixão divina em ação. O Ser divino é o olho do furacão de sua bondade, um vento impetuoso mas intencional que vem na direção daqueles cuja esperança está na escuta divina do pedido humano por ajuda. Deus salvou Israel após *reconhecer* as necessidades do povo. Ele disse: "Por certo, tenho *visto* a opressão do meu povo no Egito. Tenho *ouvido* seu clamor por causa de seus capatazes. *Sei* bem quanto eles têm sofrido. Por isso, *desci* para libertá-los do poder dos egípcios" (Êx 3.7-8). Falar de Deus é falar de um ser que existe, que está vivo a todo tempo, completamente atento ao pecado e ao sofrimento de todas as pessoas.

A ausência de vida de um ídolo o torna ignorante e incapaz de oferecer salvação a quem quer que seja. Depositar em algo criado a esperança de libertação, seja sexo, relacionamento, emprego, dinheiro, álcool ou qualquer outra coisa, é tornar-se tão ignorante quanto o ídolo em si. "Como são tolos os que levam consigo seus ídolos de madeira e oram a deuses que não podem salvar!" (Is 45.20).

Outra característica dos ídolos à qual devemos prestar atenção é a alteração da bússola moral de quem os adora. Quando ídolos são feitos, colecionados, recebem atenção, confiança ou amor, raramente são seus padrões éticos ou sua integridade que os qualifica como dignos de fé. O bezerro de ouro foi inventado e depois houve a expectativa de que ele *fizesse* algo santo para Israel, em vez de ser santo. Seu valor depende de sua habilidade de agir em prol dos israelitas. Não se menciona, nem no planejamento inicial, nem no louvor após o término de sua confecção, que o bezerro era *santo*. Isso não é revelador? Que todos os ídolos aos quais Israel ou nós nos apegamos são desprovidos de lei? Com um padrão fácil de manter e obedecer? Feitos por nossas mãos, os ídolos nos tornam a imagem de sua ausência de divindade, e esse é um de nossos motivos para segui-los. Como acontece com toda adoração, há sacrifícios, é claro, mas no caso dos ídolos as exigências feitas não demandam encarnação, morte, nem ressurreição de nossa parte. Não há milagres envolvidos em nossa obediência a um deus profano, pois conseguimos cumprir sem qualquer ajuda as exigências que ele nos faz. Além disso, tudo aquilo que oferecemos a esses supostos deuses, em louvor ou súplica, quase sempre é contrário à lei moral de Deus, expondo ainda mais a natureza ímpia de todos eles. Ao adorar um ídolo, a adoração exclusiva reservada a Deus e a Deus somente é concedida a algo indigno. E, às vezes, para o espanto do devoto ao ídolo, aquilo que ele recebe em troca não é a paz que desejava, mas o juízo que acabará lhe sobrevindo.

A adoração a ídolos certamente leva a pensamentos inúteis e ao obscurecimento da capacidade mental de compreensão. Sinto-me grata, porém, por não sermos deixados completamente por conta própria para descobrir se um ídolo pode ser aquilo que exigimos dele. Há passagens suficientes que já fizeram esse trabalho por nós, conforme vimos, o trabalho de nos dizer a verdade de que necessitamos da ressurreição para crer. Os ídolos nunca são louvados por realizar pedidos. Não importa quantas velas assopremos, quantos dedos cruzemos ou com quantas estrelas conversemos, um ídolo jamais será capaz de nos dar aquilo de que verdadeiramente necessitamos, e é por isso que as Escrituras nos dizem vez após vez que eles "de nada ajudarão" (Pv 11.4; Is 44.9; Jr 2.8; 23.32). Quer você tenha percebido, quer não, tentei transmitir a ideia, talvez sutil demais para ser vista, de que a incapacidade dos ídolos de ajudar encontra raízes em sua falta de santidade. Em sua falha de ser Deus. De ser transcendente. Diferente. De existir da maneira que necessitamos que eles existam, como um ser vivo capaz de ver, ouvir, agir e pensar. De ser poderosos o bastante para superar qualquer força e problema que o mundo herdou ou tomou para si. *Todos os ídolos são coisas criadas.* Para Israel, foi um bezerro sem nome, mas depois foram Baal, Astarote ou Moloque (2Rs 21.3; Jz 2.10-23; Jr 32.35; Lv 18.21).

O conhecimento de como a idolatria funcionou ao longo da história pode nos levar a crer que ela não existe mais. Baal pode ter morrido junto com os povos que lhe deram "vida", mas aquela forma primitiva de idolatria nos foi transmitida em nossa natureza e evoluiu para outra versão menos óbvia do mesmo comportamento. O que antes era Baal hoje pode ser identidade sexual, sexo, autonomia, intelecto, relacionamentos, dinheiro, casamento, legalismo, política, poder, etnia, comida, redes sociais, filhos ou qualquer outra coisa criada que você puder imaginar. Pegamos aquilo que Deus chamou de bom e transformamos em deus. Damos a essas coisas a posição suprema em nossa vida e esperamos, de todo o coração, que sejam a divindade que escolhemos.

Eu não sei o nome dos seus ídolos. Talvez você saiba, e o Deus que foi trocado certamente o sabe. Mas pode ter a certeza de que, não importa o que seja, falhará com você para sempre. Não digo isso para envergonhá-lo, mas para contradizer as mentiras que trouxeram o seu bezerro de ouro à existência. Ele é fabricado de propósito e recebe a confiança de ser e fazer o que não pode. Não importa o que seja, também é local. Mas suas necessidades transcendem lugares, e Deus não permita que você precise esperar comprar, chamar, pegar um avião, caminhar ou bater à porta de uma pessoa, um lugar ou uma coisa para obter esperança, paz ou alegria. Enquanto isso, Deus, que está tanto no céu quanto dentro de você, já se encontra aqui — no mesmo lugar que você — oferecendo a si mesmo para doar. Nele há vida, e todos nós não precisamos tanto disso? Dele? Não só para ser salvos, mas também para receber satisfação. Os ídolos funcionam como uma espécie de "salvador".[4] São messias fabricados, feitos para preencher os vazios em nosso interior. Mas se algo criado não fez você, sem dúvida não pode torná-lo pleno. Vigie e ore a fim de que sua esperança não se volte para os lugares altos em busca de resgate (Lv 26.30; Nm 33.52). Em vez disso, olhe para os montes de onde seu socorro santo vem (Sl 121.1-2), pois qualquer outra esperança é profana.

É essa esperança, essa fé profana que tenho a esperança de redirecionar, mas refresquemos a memória mais uma vez falando sobre o lugar da fé na história de Israel. Lembre-se de que, após criar o bezerro de ouro, os israelitas queriam que o bezerro os conduzisse no caminho que deveriam seguir. Era, de fato, uma esperança santa, porém tolamente depositada em uma obra de arte incapaz de se movimentar ou se orientar, quanto mais de guiar toda uma comunidade. Nós também confiamos que nossos ídolos são santos da mesma maneira. Que farão aquilo que somente um ser não criado e independente é capaz de fazer. O problema é que qualquer coisa que tenha um princípio é automaticamente limitada no que tem a oferecer. Suspeito que seja por isso que, ao repreender seu povo por cometer dois males, Deus usou a expressão "fonte de água viva" como metáfora para si e "cisternas rachadas, que não podem reter água" como descrição dos ídolos de Israel (Jr 2.13). Cada ídolo, uma cisterna, é capaz de oferecer uma semelhança de vida, como se fosse parecido com Deus em sua capacidade de nos proporcionar certa medida de bem. Um pouco de água aqui, um pouco ali. Muito provavelmente é por isso que pensamos que nossos ídolos são bons para nós. O relacionamento nos oferece certo conforto. O depósito direto nos estende relativa sensação de segurança. Assim como aquele que faz um ídolo de madeira consegue se aquecer e cozinhar com a mesma madeira que havia cortado (Is 44.15), talvez parte da fé que temos em nossos deuses profanos se deva ao fato de que esperamos em vão que eles tenham mais daquilo que já nos deram. Mas aí é que vem o problema: na própria construção da cisterna, como em todas as coisas que não são Deus, há rachaduras. O pouco de água, vida, amor, afirmação, provisão e prazer que elas nos derramam tem fim.

Aliás, elas jamais foram real fonte de toda sua bondade. Tudo que nos deu veio das mãos de Deus. Assim, qualquer um que já louvou um ídolo por seu amor estava dizendo "obrigado" à pessoa errada (Rm 1.21).

Por ser a "fonte de água viva", Deus se apresenta como a única fonte real, verdadeira e duradoura, capaz de satisfazer nossas necessidades contínuas. Ao explicar essa passagem, Alexander MacLaren afirmou: "Deus é a fonte de água viva. Em outras palavras, em comunhão com Deus, há satisfação plena de todas as capacidades e de todos os desejos da alma".[5] Uma lição ensinada nas Escrituras vez após vez, conforme inspirada pelo Espírito do Santo, é que há uma eternidade de contrastes entre Deus e os ídolos. Os ídolos são inúteis, incapazes de livrar e sem valor. São nada, silenciosos, sem vida, sem fala, cegos, imóveis e vazios. Pela fé, impulsionados pela cegueira e desilusão completa, todos aqueles que adoram ídolos acham que eles são o oposto do que de fato são. Levantando os olhos para coisas que foram criadas, de onde vem seu inferno, os amantes de ídolos trocam o que é verdadeiro acerca de Deus por uma mentira. Então acontece o seguinte: o que permanece verdadeiro sobre Deus não recebe crédito, enquanto a essência e os atributos do Criador (transcendência santa e pureza moral) acabam projetados na criação. Completamente cegos à realidade, valorizamos o ídolo, ao passo que não damos valor a Deus. O ídolo se torna útil para nós e Deus, inútil. O ídolo é o messias e Deus, um inimigo. Pois que outra razão nos levaria a escolher qualquer coisa além de Deus se não por pensar que é *ela*, não *ele*, que nos dá aquilo de que necessitamos? Com que frequência olhamos para a criatura e a chamamos de Salvador, sem palavras mas pela fé? Para cada garrafa de vinho vazia, consumida até o fim sem qualquer domínio próprio, existe a prova de uma alma desejosa de encontrar paz em algo incapaz de dá-la.

Até mesmo as redes sociais prosperam ao máximo se aproveitando de nossas carências e nos tornando descontentes com ser conhecidos e amados por Deus e por ele somente. Olhando para as *redes* e não para *ele* em busca de amor e outras coisas, cada publicação revela onde encontramos valor e identidade. Falando em identidade, recebemos uma ao nascer, mas ser um portador da imagem divina nunca basta quando não depositamos nossa fé no Deus cuja imagem fomos criados para espelhar. O conhecimento de quem somos como portadores de sua imagem testemunha acerca de quem fomos feitos para ser, convidando-nos a adorar Alguém mais supremo do que nós mesmos. Ao trocar a verdade sobre Deus pela mentira que as redes sociais podem se tornar, cada "curtida" parece um louvor, cada comentário parece uma oração, cada seguidor parece o céu, um céu construído para a glória de nosso próprio nome. Oferece-nos uma forma de sentir como se soubéssemos de tudo, imitando a onisciência. E, ao nos dar acesso aos corações (por meio de palavras), às vidas, famílias, empregos, finanças, ao passado e ao presente de todos que têm uma conta nas redes sociais, experimentamos uma forma inferior de onisciência. Você acha estranho que nossa forma escolhida de lidar com nossa humanidade é tentando nos erguer acima dela? Construir a torre de Babel com o fruto que recebemos a ordem de não comer, subir ao cume, olhar para o céu e nos declarar deuses? Superficialmente, parece que a raiz do ídolo é a rede social, mas, lá no fundo, somos *nós.*

Sempre que confiamos em qualquer coisa além do Deus santo para nos salvar de todos os nossos temores, dúvidas e ansiedades, para satisfazer nossos anseios mais profundos e suprir cada necessidade, confiamos que um deus profano será aquilo que ele é incapaz de ser. Dizer que Deus é santo é o mesmo que dizer que Deus é Deus e não há outro além dele. "Ninguém é santo como o SENHOR; não há outro além de ti, não há Rocha como o nosso Deus!" (1Sm 2.2). E se ele é o único Deus, então as palavras de Elias a Israel continuam a ser verdadeiras para nós hoje: "Até quando ficarão oscilando de um lado para o outro? Se o SENHOR é Deus, sigam-no! Mas, se Baal é Deus, então sigam Baal!" (1Rs 18.21). Que lição Elias queria dar ao fazer um apelo à verdadeira natureza de Javé e Baal como o fator motivador para a decisão de qual deles seguir? Se um ser é, de fato, Deus, então ele não só merece a exclusividade de nossa adoração, como também é o único suficiente para suprir nossas necessidades.

Mais uma vez, os ídolos são caracterizados como inúteis e sem valor, demostrando por que é completamente sem sentido achar que eles podem fazer e ser o que nós esperamos deles. Se queremos salvação, eles não têm nenhum poder. Se desejamos ressurreição, eles não têm vida nenhuma. Se queremos paz, eles não têm o controle soberano das circunstâncias atuais ou o poder divino para acalmar o coração de ninguém que as enfrenta. Se necessitamos de compaixão, eles não têm olhos para ver, nem ouvidos para escutar, nem boca para falar. Logo, falta-lhes a pessoalidade necessária para encontrá-lo onde você está e também para levá-lo aonde você precisa ir.

Contudo, se redirecionarmos nossa fé ao Deus vivo e verdadeiro, em Cristo, encontraremos tudo de que precisamos. Se salvação, ele é "um Salvador poderoso" (Sf 3.17). Se ressurreição, ele é "a ressurreição e a vida" (Jo 11.25). Se paz, ele é "o Senhor" que "abençoa com paz" (Sl 29.11). Se compaixão, ele é "Deus de compaixão e misericórdia", cujas "misericórdias se renovam cada manhã" (Sl 86.15; Lm 3.23). Em Deus há tudo de que a mente necessita para ter sabedoria, tudo de que o coração precisa para sentir amor, tudo de que o corpo necessita para satisfazer-se e tudo de que as afeições carecem para sentir alegria. Uma vez que as Escrituras declaram que não fomos feitos somente por ele, mas também para ele (Cl 1.16), não deveríamos nos surpreender ao reconhecer que jamais seremos plenos sem ele. Mais que isso, se tudo de bom existe por causa dele, então não existe nada melhor sem ele. Conforme afirmou Stephen Charnock, "Nenhum ser humano é capaz de criar na mente um conceito de Deus e, ainda assim, criar o conceito de algo melhor do que Deus. Pois quem quer que imagine haver algo melhor do que Deus pensou em um Deus defeituoso. Quanto melhor ele achar que a outra coisa é, mais imperfeita é a ideia de Deus em seus pensamentos".[6]

Em sua carta aos filipenses, Paulo disse: "Sim, todas as outras coisas são insignificantes comparadas ao ganho inestimável de conhecer a Cristo Jesus, meu Senhor. Por causa dele, deixei de lado todas as coisas e as considero menos que lixo, a fim de poder ganhar a Cristo" (Fp 3.8). Espero que você entenda o que ele está afirmando. Que não há nada que ele já teve ou teria de que não abriria mão por Cristo. E, mesmo depois que tudo se fosse, mesmo que fosse condenado à morte ou considerado morto por sua fé, nada do que houvesse perdido jamais se compararia ao Deus que ele havia ganhado. Essa é a realidade significativa que opõe a natureza de Deus à dos ídolos. E espero que seja também a motivação de que você necessita para nunca trocá-lo por nada, em nenhum outro momento. Os ídolos são completamente vazios e desprovidos de valor. Já Cristo é infinitamente valioso, dotado de dignidade suprema. A idolatria equivale a trocar

Deus por aquilo que não é deus, mas o tipo de fé que Paulo descreve aqui também é uma espécie de troca, se você parar para pensar. A diferença é que se trata da troca da indignidade por aquele que é Digno. Do inútil pelo ganho supremo. De cisternas quebradas por uma fonte de água viva. De um coração partido por outro cativado por Deus (Ez 14.5). E isso nos enche de esperança. Se trocamos Deus por um ídolo, não somos abandonados à própria sorte, distante de sua compaixão ou ajuda. Podemos destrocar. Isso se chama *arrependimento* — deixar um ídolo morto para seguir o Deus que não só tem vida em si mesmo, como também possui o bastante para compartilhar com você. Pense nisto: se tudo que você tiver forem ídolos e nada mais, você não terá nada. Se tudo que você tiver for Cristo e nada mais, você terá tudo. Quem precisa de um bezerro de ouro quando pode ter o Deus vivo?

# 5
# Justiça santa

Começar a apresentar o evangelho dizendo: "Você sabe que é pecador?" é a forma errada de iniciar. É possível que os pecadores reconheçam muito bem sua condição por causa da consciência ou de memórias religiosas, mas não entendem por que ser pecador deveria aterrorizá-los a ponto de os fazer perder a voz. Ao compartilhar as maravilhosas boas-novas, deveríamos — ou melhor, *devemos* — começar com: "Você sabia que Deus é santo?". Ao transitar pelo relato do evangelho e abordar temas necessários como o pecado e o juízo, Deus é o contexto para ambos. Se ele não fosse santo, o pecado não seria pecado. Todos os comportamentos seriam amorais e existiriam sem limites éticos. E, de maneira bastante estranha, tudo que fosse feito debaixo do sol seria impessoal, já que não haveria um "deus" no céu capaz de discernir a diferença moral entre assassinato e música, não identificando coisa alguma como transgressão. Indiferente às ações humanas, nenhuma delas, por mais terrível (ou não) que fosse, abalaria o sorriso de seu rosto ou o impulsionaria a agir com justiça. Ele permaneceria sentado ali, em um céu sem santidade, enquanto o caos corria solto embaixo, à medida que o tempo conduziria todas as pessoas, coisas ou lugares maus (ou não) rumo a uma eternidade sem consequências.

Isso que eu acabei de imaginar é tão mitológico quanto uma fada. Se deixarmos a critério dos não redimidos, um Deus sem justiça e retidão seria preferível, mas eles não têm voz nessa questão. Com Deus, "tudo que ele faz é certo. É um Deus fiel, que nunca erra, é justo e verdadeiro!" (Dt 32.4). Esse é um fato que já digerimos a esta altura: nosso Deus é moralmente puro. Mas isso o leva a ser vingativo? Bem, se ele é tão justo quanto as Escrituras descrevem, a resposta só pode ser "sim".

Parte do esforço necessário para compreender a justiça de Deus implica entender como um Deus santo interage com o pecado. Habacuque disse que os olhos de Deus são puros demais para olhar o mal ou tolerar maldades (1.13). Que visão terrível deve ser! "Ele não consegue olhar para o pecado sem odiá-lo. Não pode olhar para o pecado sem que seu coração se erga contra ele. Deve ser algo completamente odioso para ele, uma vez que é contrário à glória de sua natureza e diametralmente oposto a tudo que lustra e ornamenta todas as suas perfeições."[1]

Quando Deus vê o pecado em todas as suas diferentes cores, não se identifica, uma vez que ele é o ser de maior beleza. Não há nada tão diferente de Deus quanto o pecado. Nada tão terrível quanto a presença em nosso interior que é repelida pela voz de Deus. A santidade divina reconhece o pecado como ele é: um estrangeiro sem glória, nojento até o âmago, um vômito com outro nome. É a raiz de todo comportamento mau. É o motivo para a criação espelhar a imagem do diabo, ao se rebelar contra o amor maior. Existe, nele, uma tentativa constante de se mascarar, como se fosse outra versão do Senhor, na esperança de que não identificássemos o mau cheiro do engano. E, infelizmente, distantes da intervenção do Espírito Santo, não identificamos mesmo.

Por mais comum que o pecado seja para todos nós — para todos os descendentes de Adão distantes de Jesus — ele não existe, nem pode existir em Deus. A retidão divina, a "dimensão ética de sua santidade" significa que tudo que Deus faz é correto.[2] Alguém pode perguntar: "Qual é a coisa *certa* a se fazer e quem define isso?". É uma pergunta válida, ao se levar em conta o mundo e as inúmeras ideias que ele tem acerca do bem e do mal, as quais costumam ser determinadas por preferências, não pela fé. O pecado engana as pessoas e as leva a pensar que seus sentimentos e pensamentos de criatura detêm qualquer peso em nosso universo moral, como se Deus não fosse a autoridade suprema de bondade. Podemos saber se algo é certo ou não se está de acordo com o caráter de Deus; logo, Deus é justo e reto porque não pode se desviar do próprio padrão, transmitido pela lei. E para que você não pense que Deus pegou emprestado um conjunto alheio de regras e nos obrigou a segui-lo, saiba que isso é impossível. Não existe autoridade moral mais elevada que a de Deus. O próprio Deus é o padrão que determina tudo que é certo e errado. Isso significa que tudo aquilo que é semelhante a Deus é moralmente bom. "Tudo no universo é bom, contanto que se conforme com a natureza de Deus, e mau quando falha em fazê-lo", afirmou Tozer.[3] Por isso, quando as Escrituras nos dizem que Deus é justo e reto, está afirmando que ele é fiel a si mesmo em relação à pureza moral. Cada ato, palavra e pensamento com Deus é sem mancha, ruga ou mácula. Fred Zaspel observou: "Quando as Escrituras declaram que Deus faz o que é reto, está meramente afirmando que ele adere com fidelidade às próprias perfeições. Ele age somente e sempre de acordo com o mais elevado princípio de justiça: ele mesmo".[4]

Continua a nos restar uma dúvida: o que a retidão de Deus tem a ver com sua justiça? Sem dúvida, há pessoas que já se pronunciaram para nos dar sua própria explicação de como Deus lida com os pecados. Na tentativa de justificar a crença de que Deus não é antagônico ao pecado, há aqueles que dizem "Deus é amor". Provavelmente não percebem, mas, em última instância, o que estão alegando é que Deus é injusto. Em defesa deles, o véu que cobre e obscurece sua visão os impede de perceber a falta de lógica na teologia de seu argumento (Rm 1.21; Ef 4.17-19; 2Co 3.14; 4.4). Para eles, o amor deve ser indulgente, ou, no mínimo, compassivo, o que significa deixar de lado todas as transgressões, para que Deus estenda perdão a qualquer um que precise.

O mais irônico é que suas suspeitas equivocadas acerca de Deus acabariam recebendo protestos justificados se as observassem em pessoas. Já não percebemos uma ira santa crescer dentro de nós quando um jovem negro é assassinado e é ele, não aquele que atirou, que acaba recebendo a culpa? Não lamentamos quando o assassino continua a viver sem acusação, sentença de culpa ou qualquer consequência judicial por executar um corpo inocente? Não pedimos à justiça que pare de se esconder? E de onde você acha que isso vem — essa sensação de saber que a balança precisa ser equilibrada? Você estará dizendo a verdade se remontar esse equilíbrio a Deus. Pois todos testemunhamos de sua imagem em nós quando esperamos que a justiça "corra [...] como um rio" (Am 5.24, NVI). *Sabemos*, quase que por instinto, que o culpado deve ser punido, até que nós sejamos o culpado.

A "justiça legislativa" de Deus, expressão usada por teólogos eruditos, é o aspecto da justiça divina que impõe leis sobre todos os homens e todas as mulheres criados, exigindo deles justiça em troca. Quando Deus diz: "Ame-me" (ver Mt 22.37), não está fazendo um pedido, mas dando uma ordem da mais elevada categoria. Deus está legislando glória, adoração e honra para ele somente, proibindo a idolatria, o pecado que dá origem a todos os outros. Quando Deus diz: "Ame o seu próximo", também não está fazendo uma sugestão arbitrária que temos o direito de ignorar, mas, sim, uma lei obrigando a humanidade a amar uns aos outros, assim como Deus ama. Em essência, em obediência à lei de Deus, somos a imagem divina em sua justiça, sendo santos como ele é (Lv 11.44).

Mas o que acontece quando não obedecemos? Quando Deus diz: "Ame-me", mas viramos o rosto? Quando Deus diz: "Ame o seu próximo" e nós, criaturas, deixamos o ódio ser nosso senhor? O que se requer de um Deus justo quando sua lei é transgredida, sua verdade não é buscada, sua sabedoria não é estimada, sua beleza não é apreciada, sua bondade não é desfrutada, suas promessas são desacreditadas, sua santidade não é reverenciada, e tudo que faz Deus ser Deus não é amado?[5] Certa vez, Abraão perguntou: "Não agirá com justiça o Juiz de toda a terra?" (Gn 18.25, NVI), ou, em outra versão, "Acaso o Juiz de toda a terra não faria o que é *certo*?" (NVT). Se Deus é santo, também precisa ser justo e, por causa disso, deve punir os pecadores. Em sua autorrevelação, Deus deixou claro que, de maneira alguma, deixará impunes os culpados (Nm 14.18).

Para nosso benefício, como exemplo e talvez prova do justo juízo de Deus sobre os pecadores, as Escrituras registraram evidências suficientes de sua ira. Quando o Senhor viu a terra feliz com a própria maldade, voltou-se contra ela. Prometeu enviar um dilúvio que tiraria o fôlego de tudo aquilo que respirava. O Deus transcendente reina acima da habilidade humana de ocultar os pensamentos uns dos outros. Ao contrário de seus vizinhos revestidos de carne, Deus enxergava cada rebelião silenciosa. Ele ouvia todas as traições escondidas e, por causa disso, inundou a terra, deixando apenas uma família para lamentar a tragédia. Quando Deus viu os inúmeros pecados cometidos na cidade de Sodoma, ele a odiou (Sl 5.5; 11.5; 45.7). Sim, odiou. "Se, por um instante sequer, ele deixasse de odiar [o pecado], deixaria de viver. Ser um Deus santo é tão essencial para ele quanto ser um Deus vivo."[6] Quanto Deus deve ter se ofendido ao olhar para Sodoma e Gomorra e não se enxergar na forma de vida de seus habitantes! O corpo de todos os cidadãos daquela cidade (e o nosso também) havia sido feito para um propósito mais glorioso e elevado do que a perversão à qual era submetido. Que provocação usar o corpo que Deus deu como altar para nossa glória! Cada ato de imoralidade sexual, apatia pelos pobres e arrogância era um xingamento dirigido ao céu (Gn 13.13; 18.20-21; Ez 16.49-50; Jd 1.7). E, em resposta a isso, do céu caiu fogo (Gn 19.1-29).

O jardim do Éden, caracterizado pela perfeição desde que surgiu, foi testemunha da ordem de Deus e do julgamento posterior de Adão. "Se você comer desse fruto, *com certeza* morrerá", disse Deus, e de fato Adão morreu (Gn 2.17; 5.5). Sua maldade foi uma decisão que ele mesmo tomou. Ninguém colocou uma arma em sua cabeça, forçando-o a comer o que Deus proibira, mas seu coração abriu sua boca e dela saiu a palavra: "Atire!". Essa é uma metáfora que revela como nós, do mesmo modo que Adão, escolhemos nosso destino. O pecado separa, criando uma distância entre Deus e o que ele criou. E essa é uma das motivações que leva o pecado a empurrar Deus para bem longe.

Os idólatras não querem o Deus verdadeiro; eles querem *ser* Deus. Fazem todos os esforços possíveis para criar uma espécie de distanciamento entre eles e seu Criador. Constroem uma realidade alternativa na qual são seu próprio senhor e rei. E, sem que o percebam, Deus ergue sua mão para lhes dar exatamente o que o coração humano deseja. Isso também é juízo. Paulo afirma que há uma ira do céu mostrada contra todos os pecadores e perversos, diminuindo as restrições que nos impedem de fazer "coisas que jamais deveriam ser feitas" (Rm 1.18,28). O que quero dizer com isso? Essa forma de julgamento divino consiste simplesmente em nos entregar ao que queremos. J. I. Packer explica essa ideia muito bem: "As Escrituras entendem o inferno como uma escolha pessoal. [...] Todos recebem aquilo que escolheram, seja estar com Deus para sempre, adorando-o, seja estar fora de sua presença eternamente, adorando a si mesmos".[7] Adão decidiu que queria a morte, em vez de Deus, e seu desejo se realizou.

Quando chegou o momento de levar a arca da aliança de volta a seu legítimo lugar em Jerusalém, ela foi colocada em um carro de bois. Foi um erro mortal que logo custaria a vida de um homem. De acordo com a lei, a arca deveria ser transportada nos ombros dos levitas com varas (Lv 7.9). Em vez de consultar a Palavra de Deus para verificar como lidar com as coisas de Deus, Uzá e outros buscaram inspiração nos filisteus, em um ato ignorante da parte destes, que fizeram algo de que não tinham nenhum conhecimento. Mas esses homens, descendentes de Abraão, tinham todas as condições para saber o que fazer. E aceitaram levar a arca aparentemente segura em um carro de bois, entoando cânticos do povo de Deus que traduziam a alegria de Israel, enquanto címbalos ressoavam, como se Deus estivesse voltando para casa. Foi então que aconteceu. Ao se aproximar de uma eira, os bois tropeçaram e começaram a se curvar. A arca, o símbolo precioso da presença santíssima de Deus, corria o risco de cair no chão e se encher de terra. Nesse momento, Uzá estendeu a mão para segurar a arca e tentar mantê-la em seu lugar. Então, de acordo com o texto bíblico, "a ira do SENHOR se acendeu contra Uzá, e Deus o feriu por causa disso. E ele morreu ali mesmo, ao lado da arca de Deus" (2Sm 6.7).

Ficamos tristes por Uzá, não é mesmo? Da nossa perspectiva, ele era apenas um homem com boas intenções. Só queria impedir que a arca se sujasse no chão. Seu braço estendido na direção da arca parece um fruto do Espírito — um gesto de bondade. Uzá só estava tentando *ajudar*, diríamos nós. Ajudar, é? São interessantes as palavras que usamos para descrever as coisas. Não é de se espantar que fiquemos tão confusos com o juízo às vezes. Estamos ocupados demais dando nomes bons a coisas ruins. As Escrituras denominam o ato de Uzá uma "imprudência" (RC) ou um "ato de irreverência" (NVI). Ambos os nomes revelam o motivo de sua morte. Uzá pecou contra Deus. Talvez pensasse que era santo o bastante para tocar o que não devia, ou quem sabe, por ter ficado na casa de seu pai por duas décadas, a arca havia se tornado comum demais para ele. Uma espécie de ornamento. O Deus santo, santo, santo jamais deve ser considerado tão familiar a ponto de se tornar acessível de acordo com nossos termos. No entanto, conforme vemos na história de Uzá, a perda de respeito reverente foi aliada à falha em fazer o que a lei de Deus ordenava, e isso tornou necessária a manifestação da justiça de Deus. Não me entenda mal. Não suponho que o gesto de Uzá foi propositalmente malicioso ou desprovido de sinceridade. Ele agiu por instinto, de acordo com o que imaginava ser respeito. Contudo, mesmo que aparentemente natural e sincera, sua atitude era proibida. Quando a arca começou a escorregar, seu impulso foi mantê-la fora do chão. Todavia, conforme explicou R. C. Sproul, "Uzá presumiu que sua mão era menos poluída que o chão".[8]

Sempre que Deus julga dessa forma — o cadáver com a mão "disposta a ajudar", a esposa saudosa que virou estátua de sal (Gn 19.26), o homem e sua família que foram tragados vivos pelo chão que se abriu debaixo deles (Nm 16.32), uma cidade inteira destinada à destruição, incluindo todos os seus homens, as mulheres e os filhos que aqueles se esforçavam para defender (Js 6.17; 1Sm 15.3) — não sabemos o que pensar. Somos tentados a nos sentir como Davi, que se indignou "porque a ira do SENHOR irrompeu contra Uzá" (2Sm 6.8). Ficamos confusos ao ver o mesmo Deus louvado por sua bondade parecer tão cruel, tão supostamente dado à ira.

Por ser transcendente e, portanto, diferente, incomparável, a ira de Deus não é em nada como a ira que conhecemos por experiência própria. A ira não é uma reação do ego ferido de Deus. Tampouco ele é um sádico, que sente prazer com nossa dor. É bem o contrário. A ira de Deus consiste na "repugnância santa do ser de Deus contra aquilo que contradiz sua santidade".[9] Deus não pode ser indiferente ao pecado, pois é santo, santo, santo demais para isso. É verdade que "a justiça [de Deus] é a grande testemunha de sua pureza",[10] pois, se ele ignorasse o culpado, por menor que fosse a transgressão, seria injusto. E, nesse caso, profano, destituído de santidade. Se enxergássemos o pecado da mesma forma que Deus, diríamos, juntamente com os anjos: "Tu és justo, ó Santo, que és e que eras, pois enviaste estes julgamentos. Porque eles derramaram o sangue de teu povo santo e de teus profetas, tu lhes deste sangue para beber; é sua justa retribuição" (Ap 16.5-6).

A razão para nossa empatia por figuras como Uzá e nossa eventual confiança para acusar Deus de injustiça sempre que seu martelo de juiz profere uma sentença dura demais para nosso gosto é termos uma visão ridiculamente complacente do pecado e uma compreensão igualmente medíocre da santidade de Deus. Ele não tem mácula. Nem ruga. Nem mancha.

O pecado é diferente. É ofensivo, abominável, demoníaco, injusto, iníquo. O pecado jamais terá o coração, nem os caminhos de Deus. E, em sua pureza, Deus entregou uma lei aos seres humanos que, se obedecida, permitirá que sejam tão belos quanto ele é, mas estes não o permitem. Por isso, Deus precisa fazer o que é justo. Ele precisa julgar. Necessita erguer sua espada e desferi-la no culpado (2Sm 24.16-17; 1Cr 21.16).

Todavia, a pergunta que *deveria* ser feita, mas que raramente é feita é a seguinte: se Deus *precisa* julgar, porque eu *continuo* vivo? Eu não comi do fruto que Deus proibiu? Não transformei meu corpo em altar? Não ignorei os "pequeninos" e usei algo tolo para justificar minha apatia? Não me familiarizei demais com o Santo e deixei a reverência de lado enquanto continuava a me imaginar fiel? Ou seja, não somos todos culpados (Rm 3.11,23)? Não só você e eu, mas todos que já viveram pecaram contra Deus e carecem de sua graça. No entanto, aqui estamos nós, ainda debaixo do sol, lendo um livro, um privilégio comum. É uma alegria concedida a seres humanos que não merecem nada além da ira.

Assim como Uzá estava familiarizado demais com a arca, nós nos acostumamos tanto à paciência de Deus que nos chocamos mais com seus juízos do que com sua tolerância. Conforme afirmou R. C. Sproul, "A questão não é por que Deus pune o pecado, mas, sim, por que permite a continuidade da rebelião humana. É costumeiro ou habitual Deus ser tolerante. De fato, ele é longânimo, paciente e tardio em se irar. Aliás, é tão tardio que, quando sua ira vem à tona, ficamos chocados e ofendidos com ela".[11] Nós somos os culpados que Deus deve julgar, mas ele não nos deu o que merecemos, ainda. Que misericórdia!

Para cada história de ira, há muitas outras de misericórdia. Pense em Adão e como, após comer do fruto, um animal foi morto, seu sangue derramado, sua pele retirada do corpo para se transformar em roupa de dois amaldiçoados (Gn 3.21). Esse foi um ato que ninguém havia pedido, mas Deus tomou a iniciativa e cuidou de tudo. Antes que descesse fogo do céu para queimar vivos todos na cidade de Sodoma, os anjos foram atrás de Ló, a fim de resgatá-lo. O motivo para isso não foi a justiça e retidão dele. A falta desses atributos se vê em sua disposição para jogar as filhas nas mãos dos predadores (Gn 19.4-8). Mesmo enquanto o céu começava a se abrir, preparando-se para o derramamento da ira divina, Ló demorou, como se demonstrasse sua falta de urgência e, quem sabe, de reverência para com a graça de Deus. Ele também deveria ter queimado até o pó, mas os anjos o pegaram pela mão, junto com sua família, conduzindo-os a um lugar seguro, não por merecerem, mas porque a misericórdia foi a seu encontro (Gn 19.16-17).

Ou pense no Egito, quando Deus decidiu julgar os egípcios por sua idolatria, ferindo o primogênito de todos, e o anjo da morte passou direto pelas casas com sangue no umbral das portas. Lembre-se de que o sangue vermelho vivo não foi ideia de Israel. Eles só souberam fazer isso porque Deus se agradou em comunicar a rota de escape. Esse também foi outro ato de misericórdia da mão de Deus, pois Israel era tão merecedor da justiça divina quanto os egípcios. A única diferença entre as duas nações foi que Deus decidiu ter compaixão de uma, não da outra. Deus disse acerca de si mesmo: "Pois terei misericórdia de quem eu quiser, e mostrarei compaixão a quem eu quiser" (Êx 33.19). O Deus santo, santo, santo não nos deve nada, mas, mesmo assim, nos estende sua compaixão. Como no caso de Davi, que roubou a mulher de outro homem bem debaixo de seu nariz e o colocou para morrer a fim de evitar a confissão. Mas Deus, é claro, viu o roubo, o orgulho, a fornicação, o abuso de poder e como aquilo fez uma mulher sofrer o luto da perda do marido enquanto amamentava o filho do assassino. A parte positiva é que Davi finalmente confessou. Declarou: "Pequei contra o SENHOR". A parte incômoda é que ele não morreu por causa disso. "O SENHOR o perdoou, e você não morrerá por causa do seu pecado", disse Natã a Davi, o rei culpado, cuja condenação era justificada (2Sm 12.13).

O Senhor perdoou o pecado de Davi, disse Natã. E fez o que com ele? Colocou o pecado sobre um animal inocente? Um animal sem mancha que foi levado e sacrificado no lugar de Davi? Fazendo expiação por aquilo que ele fizera bem debaixo do nariz de Deus? Se esse for o caso, isso também não bastaria para justificar seu perdão, visto que "é impossível que o sangue de touros e de bodes remova pecados" (Hb 10.4). Se o sistema de sacrifícios não era bom o bastante para expiar o pecado e aplacar a ira divina, então o que dizer sobre Deus quando ele decide ser misericordioso com o culpado? Deus não pode ser tão santo quanto alega ser se permite que os culpados permaneçam impunes. Não importa se é Adão ou Davi, Israel ou nós, perdoar nossos pecados sem exercer justiça tornaria Deus tão injusto quanto nós somos. E não é isso que o mundo quer de Deus quando esperamos que ele perdoe sem justiça ou seja misericordioso sem condenação? Não desejam um Deus tão indiferente para com a própria glória, a ponto de deixar de lado sua justiça (se possível), a fim de declarar inocente um filho do diabo? Que Deus injusto ele seria, mas foi essa a terrível condição em que Deus se colocou ao passar por alto pecados passados (Mq 7.18). Esse é o grande dilema do céu.

A misericórdia que Deus demonstrou a todos que pecaram antes de Cristo levanta o questionamento de como Deus pode ser, ao mesmo tempo, justo e misericordioso. John Piper fez uma boa pergunta acerca desse tema: "Quantos já tiveram dificuldade de entender a aparente injustiça ao deparar com a complacência divina para com os pecadores? Aliás, quantos cristãos lutam para entender se nosso perdão não seria uma ameaça à justiça de Deus?".[12] Já disse uma vez, mas vale a pena repetir: se Deus é santo, ele precisa ser justo. Assim, o que o Deus santo fez para garantir que pode nos oferecer perdão, sem comprometer a própria justiça? Sem dúvida, o umbral ensanguentado da porta e o cordeiro sem mancha seriam insuficientes para nos redimir por completo. Que boa dádiva de suas mãos Deus Pai concedeu ao mundo, por amor?

Deus concedeu seu Filho, o único bom o bastante para aplacar a ira divina. O inocente carregou os fardos dos culpados, para que, no momento em que o perdão for dispensado, a justiça divina seja, ao mesmo tempo, exaltada. "Isso se aplica a todos que creem, sem nenhuma distinção. Pois todos pecaram e não alcançam o padrão da glória de Deus, mas ele, em sua graça, nos declara justos por meio de Cristo Jesus, que nos resgatou do castigo por nossos pecados. Deus apresentou Jesus como sacrifício pelo pecado, com o sangue que ele derramou, mostrando assim sua justiça em favor dos que creem. *No passado ele se conteve e não castigou os pecados antes cometidos, pois planejava revelar sua justiça no tempo presente. Com isso, Deus se mostrou justo, condenando o pecado, e justificador, declarando justo o pecador que crê em Jesus*" (Rm 3.22-26). Aleluia!

Se qualquer um levar a sério a bondade de Deus para com os pecadores dos tempos antigos, terá o direito de acusar Deus de injustiça. Mas a cruz de Cristo foi uma demonstração não só de amor, conforme proclamamos corretamente com tanta facilidade, mas também de justiça. Ele não deixa o culpado sem castigo. Em vez disso, os pecados de quem tem qualquer culpa e os nossos também foram imputados ao Filho de Deus imaculado e sobre ele a justiça divina recaiu. As Escrituras dizem que "Deus fez de Cristo, aquele que nunca pecou, a oferta por nosso pecado" (2Co 5.21). E ao fazê-lo, quando olhou para o Filho e viu a maldade que Jesus suportou, as abominações que levou sobre si, as perversões que segurou nas mãos, a rebelião que o cobriu, em Deus Pai cresceu uma ira santa em relação ao Filho que ele amava. O cálice que o Filho tão desesperadamente queria não receber, cheio de ira e ódio santo, foi derramado. "Pois o SENHOR tem na mão um cálice cujo vinho espuma misturado com especiarias. Ele derrama o vinho, e todos os perversos o bebem até a última gota" (Sl 75.8).

Imagine, se puder, o sabor desse cálice. Que inferno concentrado em três horas deve ter parecido o tempo inteiro. Que desprazer infinito. Que abominação absoluta. A distância divina, o ápice da indignação santa, abandono incompreensível. Diante disso, a vontade do Senhor era esmagá-lo sob seus pés (Is 53.10). Debaixo do forte peso da ira de Deus, o Filho que, antes da cruz, só conhecia o deleite do Pai, agora lhe perguntou: "Meu Deus, meu Deus, por que me abandonaste?" (Mt 27.46). A resposta fica clara agora. O Filho foi abandonado para que todos que se encontram distantes possam ser trazidos para perto. Para que todos que transgrediram a lei de Deus possam ser absolvidos. Não havia nenhuma outra maneira de Deus ser, ao mesmo tempo, misericordioso *e* justo, ao mesmo tempo amoroso e reto, a menos que enviasse um substituto. Ou o pecador pagaria pelos próprios pecados, sem receber perdão, ou seria perdoado em virtude do pagamento de outro. O filho de Abraão foi poupado da ponta do cutelo do pai porque o Senhor providenciou um carneiro para substituí-lo. A nós nos foi dado o Cordeiro de Deus, poupando-nos da espada celestial. Como sempre, Deus é a origem da misericórdia. O dilema celestial foi solucionado em Cristo Jesus. Agora nós dizemos junto com Paulo: "Como são felizes aqueles cuja desobediência é perdoada, cujos pecados são cobertos! Sim, como são felizes aqueles cujo pecado o Senhor não leva mais em conta!" (Rm 4.7-8). Aleluia!

Na cruz do Calvário, houve uma manifestação tanto de justiça quanto de misericórdia. O Deus santo se comprometeu tanto com a preservação de sua justiça que, conforme ele mesmo disse, não se propôs inocentar culpados. Mas foi igualmente impulsionado pelo amor que o torna tão misericordioso. Tão misericordioso que seu próprio Filho foi oferecido em propiciação. Isso significa que, quando Cristo absorveu a ira divina, esta é removida de todo aquele que tem fé em Jesus, para jamais ser experimentada, nem nesta vida, nem na futura. Tudo que nos resta é paz — com Deus, para deixar claro.

Por favor, entenda a relevância disto: a ira de Deus pelo pecado não o impediu de amar você, mas ele escolheu voluntariamente resgatá-lo da ira vindoura. Você sabe o que significa ser *salvo*? Dizemos essa palavra sem qualquer definição, a ponto de eu me perguntar com frequência se nos lembramos de que o termo em questão faz referência à justiça divina. Certa passagem diz: "E, uma vez que fomos declarados justos por seu sangue, certamente seremos *salvos da ira de Deus* por meio dele" (Rm 5.9). E outra explica: "[Vocês] se voltaram para Deus, deixando os ídolos a fim de servir ao Deus vivo e verdadeiro, e esperar dos céus a seu Filho, a quem ressuscitou dos mortos: *Jesus, que nos livra da ira que há de vir*" (1Ts 1.9-10, NVI).

A boa-nova é simplesmente isso, uma boa notícia, pois declara como a morte de Jesus lidou com a ira divina, libertando os pecadores da pena que os aguarda, livrando-os para a segurança e um relacionamento correto com Deus, no qual não são tratados como seus pecados merecem, mas em vez disso recebem o direito de ser chamados filhos de Deus.

Abraão perguntou a Deus: "Acaso o Juiz de toda a terra não faria o que é certo?" (Gn 18.25). A resposta está clara agora. Em Cristo, o Juiz *já fez* o que é certo. Ele é tanto justo *quanto* justificador daqueles que têm fé em Jesus. Aleluia!

# 6
# Santo como?: visão santa

O puritano John Owen definiu santificação como "a obra imediata do Espírito de Deus na alma dos cristãos, purificando e limpando a natureza deles da poluição e impureza do pecado, renovando-os à imagem de Deus e, assim, habilitando-os a prestar obediência a Deus pelo princípio espiritual e habitual da graça".[1] A santificação é um tema importante porque lida com o processo do cristão de se tornar mais semelhante a Deus. O Espírito de Deus inspirou Pedro a dizer: "Agora, porém, sejam santos em tudo que fizerem, como é santo aquele que os chamou. Pois as Escrituras dizem: 'Sejam santos, porque eu sou santo'" (1Pe 1.15-16). O autor de Hebreus revela a consequência de deixar de buscar isso: "Esforcem-se para viver em paz com todos e procurem ter uma vida santa, sem a qual ninguém verá o Senhor" (Hb 12.14).

Mas antes de encher seu caminho de textos bíblicos sobre santidade e desafiá-lo a obedecer, por mais que tantos livros sobre o assunto tenham o hábito de fazê-lo, creio ser necessário primeiro definir que coisa santa deve acontecer dentro de nós antes de sermos capazes de ser santos. O agente dessa obra é o Espírito Santo. Negligenciá-lo em qualquer debate acerca da santificação é se aventurar por um território para o qual as Escrituras não conduzem. E um território do qual as Escrituras instruem a nos afastar. Sem o Espírito Santo, qualquer esperança de ser santo como Deus é inútil.

É revelador como as pessoas são descritas antes que o

Espírito Santo faça sua obra. A linguagem é nada lisonjeira e, na verdade, intencionalmente terrível. A Bíblia afirma que somos amantes das trevas e filhos da ira com um coração de pedra (Ez 11.19; 36.26; Jo 3.19; Ef 2.3). Parece um filme, daqueles com pegadas invisíveis e vozes vindo das paredes. Do tipo a que os corajosos assistem de luzes apagadas, ou seja, até que as sombras os impeçam de cair no sono com facilidade. No cinema, há muitas imagens de fantasmas e zumbis, seres que já foram vivos e saíram do subterrâneo para andar entre os vivos. Eles nos assustam, como deveria ser, porque parecem existir de maneira tão diferente de nós, em suas roupas, pele, voz e movimento. Mas as semelhanças continuam ali, debaixo da superfície. Sua aparência externa é o que as Escrituras nos descrevem por natureza. Nós também estamos mortos.

Usemos a criatividade e imaginemos que alguém com mais bom senso que um zumbi fosse até um corpo morto apenas com boas intenções. Com um tom sem caráter autoritário, para não parecer rude, mas com firmeza suficiente para comunicar a importância do que está dizendo, ordena: "Viva!". Então observa o corpo, os dedos, esperando um movimento rápido, qualquer coisa. Ao perceber que nada mudou e o corpo continua frio, imóvel, tenta novamente, mas, dessa vez, usa a palavra: "Sinta!". E então outra: "Pense!". Ao observar a cena, supomos que a pessoa viva enlouqueceu. "Ela não sabe que o indivíduo está morto? Não percebe que a única coisa que um cadáver consegue fazer é nada?". Parece tão óbvio, mas você se surpreenderia ao saber que esse cenário nos descreve quando tentamos ser santos longe do poder de ressurreição do Espírito Santo?

Em nossa condição natural, Paulo nos descreve como "mortos por causa de [nossa] desobediência e de [nossos] muitos pecados", com uma mente que "é sempre inimiga de Deus", que "nunca obedeceu às leis de Deus, e nunca obedecerá", pois não consegue, uma vez que "aqueles que ainda estão sob o domínio de sua natureza humana não podem agradar a Deus" (Ef 2.1-2; Rm 8.7-8). E como exatamente isso acontece? Na verdade, é bem simples. Manifesta-se por meio de um estilo de vida que segue em frente como se Deus não fosse real. Ou bom. Ou certo. Ou sábio. Ou verdadeiro. Ou nosso Criador. Antes que o Espírito sopre vida em nós, amamos as trevas e tudo que ela cria. Pegamos o corpo que Deus criou e ordenamos que *nos* obedeça. Olhamos de frente para o próximo, ignoramos a imagem de Deus nele e o chamamos de um nome que Deus jamais pronunciaria. Nossa arrogância é mentirosa a ponto de, no inferno, haver milhões que achavam que o céu se abriria por completo só porque eles iam à igreja. Ou porque apadrinharam uma criança uma vez na vida. Ou porque liam um livro sagrado antes de dormir. Nós nos deixamos enganar com tanta facilidade e, mesmo nesse caso, nosso coração duro tropeça na verdade e a trata como mentira. É uma pedra bem pesada a que temos por dentro. Tão pesada que, se e quando ouvimos como Jesus é forte, não damos um passo sequer, pois faríamos qualquer coisa para impedir Deus de se aproximar demais. Por quê? Porque a verdadeira condição do pecador é que ele, ou melhor, nós não *queremos* Deus, tampouco desejamos nos tornar *como* ele.

O pregador pode dizer: "Viva!". E nós permanecemos imóveis. O caixão é nossa casa, e estamos mortos demais para deixá-lo, de todo modo. O evangelho pode nos convidar a "sentir", mas não conseguimos. Nossa vontade está tão envolvida no pecado, tão apaixonada pelo inferno que se recusa a dedicar seu amor a Deus. É do pecado, não de Deus, que o não regenerado extrai sua alegria. As Escrituras podem clamar: "Pense!", mas até Deus dizer: "Haja luz", não haverá luz alguma (2Co 4.6). A mente do morto não consegue se interessar pelos pensamentos dos vivos e, caso tentasse — como fazemos nós antes de ser ressuscitados —, seria incapaz de aceitar tais coisas. Quando ouvimos algo espiritual, como: "Se alguém quer ser meu seguidor, negue a si mesmo, tome diariamente sua cruz e siga-me" (Lc 9.23), classificamos como tolice e acreditamos que nossa avaliação das verdades espirituais é que representa a verdadeira sabedoria. Considerando-nos sábios, tornamo-nos insensatos (1Co 1.18-27; 3.18; Rm 1.22). Isso é típico daquele que as Escrituras chamam de "o homem natural", também conhecido como morto (1Co 2.14; Ef 2.15; 4.8). "Mas o homem natural não aceita as verdades do Espírito de Deus. Elas lhe parecem loucura, e ele não consegue entendê-las, pois apenas quem é espiritual consegue avaliar corretamente o que diz o Espírito" (1Co 2.14). Não é por pura ignorância que as pessoas não correm para Deus em busca de perdão, mas por cegueira. O coração, assim como a mente, é escurecido e incapaz de funcionar corretamente ou se comportar com justiça e retidão (Rm 1.21).

A morte completa do coração e da mente é o que torna impossível a obediência à lei moral de Deus. É por isso que eu me recusei a começar este capítulo com sugestões casuais de como ser santo sem primeiro explicar por que não conseguimos ser assim. Já temos mortos demais colocando roupas limpas e decorando a língua dos vivos só para se divertir. Temos a propensão de olhar para a lei de Deus com uma estranha autoconfiança, uma segurança interior ou um ego que exagere nossas habilidades, tudo isso produzido nada mais, nada menos que pela carne. O espírito de nossa era inclui trabalhar sem parar, sobressair-se em tudo e não descansar nunca — e acabamos transportando isso para nossa busca por santidade. Quando queremos métodos humanos para alcançar a maturidade, um caminho natural para ser celeste, nossas motivações se encontram tristemente equivocadas. Sempre que isso acontece, sentimos que podemos trabalhar para conquistar a santidade, todavia o pré-requisito enviado por Deus para nossa santificação começa simplesmente com "creiam naquele que ele enviou" (Jo 6.29). Não se engane: não temos poder algum em nós mesmos para fazer o que Deus requer de nós. Não importa quão confiantes sejamos, nem quão ortodoxos sejam nossos pensamentos, um poder independente de nós precisa nos transformar de dentro para fora. Precisamos ser vivificados antes de poder ser santificados.

Para obter vida, é necessário nascer de novo. Assim como um cadáver não consegue fazer coisa alguma, a natureza morta não pode ser santa. Conforme as Escrituras explicam, é um coração de pedra que nos impede de ser semelhantes a Deus. Ele é assim chamado porque a pedra é um objeto familiar para todos que habitam na face da terra. A pedra não tem sentimentos, não reage, é imóvel se for uma montanha e permanece sempre dura. O coração é outra forma de aludir ao nosso centro moral ou ao local de onde partem todas as nossas ações. Logo, nosso centro moral é tão sem vida quanto uma pedra. Salomão buscou outros deuses porque seu coração estava voltado para eles (1Rs 11.4). Outros males surgem do mesmo lugar duro. Jesus nos disse o seguinte: "Pois do coração vêm maus pensamentos, homicídio, adultério, imoralidade sexual, roubo, mentiras e calúnias" (Mt 15.19). E isto: "A pessoa boa tira coisas boas do tesouro de um coração bom, e a pessoa má tira coisas más do tesouro de um coração mau. Pois a boca fala do que o coração está cheio" (Lc 6.45). Que fruto você espera que cresça desse tipo de solo? Jogue a semente, irrigue, deseje boa sorte e aguarde para não ver nada de útil surgir desse trabalho, a menos que o sol paire e transforme a pedra em solo.

Quando nascemos de novo, é isso que nos acontece. O Espírito que pairava sobre a face das águas vem à terra, ao homem natural, que se originou do pó (Gn 1.2). Ele não vem quando é convidado, conforme nossas músicas nos levariam a crer, nem se move porque damos permissão. Tornou-se hábito falar com o Espírito e sobre ele como se fosse uma energia, uma força ou uma criança dependente de nossas palavras para agir. O Espírito de Deus é Deus; logo, sua natureza transcendente o separa de nós, definindo-o como um ser independente *de nós*. O Espírito Santo faz o que quer, quando quer, onde quer e como quer. Jesus disse o seguinte acerca do Espírito: "O vento sopra *onde quer*. Assim como você ouve o vento, mas *não é capaz de dizer de onde ele vem nem para onde vai*, também é incapaz de explicar como as pessoas nascem do Espírito" (Jo 3.8). O Espírito de Deus opera em total liberdade, ou seja, não é impelido por uma força externa a si. Isso pode dar novo significado ao texto "onde está o Espírito do Senhor, ali há liberdade" (2Co 3.17). Assim é com todo aquele que recebe o Espírito. Ele lhes proporciona aquilo que sempre teve.

E o faz por meio do milagre da *regeneração* (Tt 3.5), que consiste na obra sobrenatural do Espírito Santo, a qual concede vida ao pecador morto, dando-lhe habilidade de exercitar a fé e suas novas inclinações para com Deus.[2] Para Israel e para nós, Deus prometeu fazer isso. Por meio do profeta Ezequiel, declarou: "Eu lhes darei um novo coração e colocarei em vocês um novo espírito. Removerei seu coração de pedra e lhes darei coração de carne. Porei dentro de vocês meu Espírito, para que sigam meus decretos e tenham o cuidado de obedecer a meus estatutos" (Ez 36.26-27). O novo nascimento — o Espírito que faz o coração morto ganhar vida — é a gênese de nossa santidade.

Em nossa carne, tentamos mudar a ordem de onde nasce a santidade. Obedecer às regras e andar nos estatutos divinos não *faz* o Espírito vir, nem regenera a alma. Ninguém nasce espiritualmente pela "vontade da carne" porque "o que nasce da carne é carne" (Jo 1.13; 3.6, NVI). Isso significa que só somos capazes de gerar seres de nossa espécie. Só conseguimos produzir réplicas de nós mesmos. A pessoa natural só é capaz de gerar uma pessoa natural. Mesmo que Eva tentasse ao máximo tirar um novo ser de dentro do útero, seus filhos e filhas, seus netos e netas compartilhariam de sua depravação. Cada bebê é um espelho que remete a Adão. Os filhos que saem do útero são *novos* apenas no sentido de jamais terem andado no mundo antes, mas nenhum deles é novo no sentido de ter uma natureza diferente da carne que os deu à luz. Somos pecadores porque nossos pais também são, ao contrário daqueles que nascem do Espírito, cujo primeiro choro já é santo. O que antecede seu nascimento é a implantação da natureza do Deus santo, na qual recebem o poder de ser como Deus em justiça, mas não o poder de ser Deus. É a total inversão da mentira de Satanás, a razão original para termos sido criados, isto é, a fim de sermos humanos e santos.

De maneira aleatória (ao que parece), o Espírito encontra o morto em um banco, um ônibus, no clube, em um canto, um quarto ou qualquer lugar e, em um instante, a pessoa natural se transforma em um ser espiritual. Poderíamos chamar isso de ressurreição espontânea do ser interior. Aquele coração de pedra, com todo seu amor desordenado e lealdade desalinhada, é substituído por um coração novo, feito de carne. O coração de carne é completamente diferente do coração de pedra, por ser um coração *verdadeiro*. Um coração vivo. É capaz de sentir e responder. Depois que esse novo coração é implantado, os ouvidos escutam "Viva!" e o coração de carne leva sangue aos membros, para que possam se mover na direção de Deus. As palavras *pensar* e *sentir* não flutuam mais como pássaros sem lar. Da janela de Noé, há pombas cujos pés encontram um lugar para pousar. Esse novo coração não tem espaço para as coisas profanas que antes guardava, mas isso não significa, de maneira alguma, que permanece vazio. Aquilo que o velho homem antes amava é substituído por uma afeição mais elevada e satisfatória, dirigida a Deus. Thomas Chalmers, ao falar sobre o novo nascimento, comentou: "É nesse momento que o coração, sob o domínio de uma grande e predominante afeição, é liberto da tirania de seus antigos desejos".[3]

A santidade começa depois que o velho homem morre e o novo homem ganha vida (2Co 5.17). Archibald Alexander resumiu: "Pode-se afirmar, de modo geral, que por meio dessa mudança é implantado um princípio de santidade, vida espiritual é comunicada, a mente é iluminada, a vontade é renovada e as afeições são purificadas e elevadas a objetos celestiais".[4] Do princípio ao fim, a obra do Espírito é um presente que o homem natural não pede, mas ganha assim mesmo. "Pois vocês são salvos pela graça, por meio da fé, e isto não vem de vocês, é dom de Deus" (Ef 2.8).

## Visão santa

Depois de nos dar vida, como o Espírito nos torna santos? Primeiro, ele nos dá uma visão santa.

Com um coração novinho em folha, vem uma visão novinha em folha. O véu que ficava no campo de visão do homem natural desde o nascimento se parte em dois, irrompendo luz divina. À medida que as trevas se dissipam, Cristo finalmente é visto com novos olhos. E ele não é maravilhoso?

Já ouvi dizer que pela contemplação, somos transformados. Por meio do salmista, Deus disse o seguinte acerca dos ídolos e de quem os adora: "Seus ídolos não passam de objetos de prata e ouro, formados por mãos humanas. Têm boca, mas não falam; olhos, mas não veem. Têm ouvidos, mas não ouvem; nariz, mas não respiram. Têm mãos, mas não apalpam; pés, mas não andam; garganta, mas não emitem som. *Aqueles que fazem ídolos e neles confiam são exatamente iguais a eles*" (Sl 115.4-8). Falar de sua confiança também é falar de seus olhos espirituais e como estão atentos às coisas criadas. A visão é um tipo de crença nesse caso. É uma fé morta para Deus, sim, mas viva para os ídolos. É que a fé transforma aquele que contempla no que fixou seus olhos, de tal modo que, ao olhar para o ídolo esperando que ele seja aquilo que não pode ser, seu adorador acaba se transformando à imagem do ídolo. Não ouvir, não falar e não ver é o mesmo que compartilhar da condição morta do ídolo. Essa é a disposição dos rebeldes. "Filho do homem, você vive entre rebeldes *que têm olhos, mas não querem ver, que têm ouvidos, mas não querem ouvir*, pois são um povo rebelde" (Ez 12.2). Observe uma pessoa de perto e logo será capaz de discernir para onde ela mais olha. Se for para o Criador, você verá a glória. Se for para a criatura, você verá escuridão. Nossa rebelião está enraizada em nossa natureza pecaminosa, sim, mas o que a natureza pecaminosa fez com nossa visão é parte do que nos leva a viver como nós vivemos.

João estabeleceu a conexão entre ver e pecar quando escreveu: "Todo aquele que está no pecado *não o viu* nem o conheceu" (1Jo 3.6, NVI). E, mais uma vez: "Aquele que faz o mal não *viu* a Deus" (3Jo 1.11, NVI). As declarações causam perplexidade e, para nós, podem parecer contraditórias quando as comparamos com textos bíblicos como: "Ninguém jamais o viu, nem pode ver" (1Tm 6.16). Mas não é preciso nos preocupar, pois o tipo de visão de que João fala é diferente da visão que só Jesus conhecia (Jo 1.18). A visão à qual João alude é a mesma de Paulo, ao orar assim: "Não deixo de dar graças por vocês, mencionando-os em minhas orações. Peço que o Deus de nosso Senhor Jesus Cristo, o glorioso Pai, dê a vocês espírito de sabedoria e de revelação, no pleno conhecimento dele. Oro também para que *os olhos do coração de vocês sejam iluminados*, a fim de que vocês conheçam a esperança para a qual ele os chamou, as riquezas da gloriosa herança dele nos santos" (Ef 1.16-18, NVI). Esse tipo de visão só pode vir por meio da regeneração. Antes de conseguirmos pisar em cima de nossa sepultura, vitoriosos sobre o pecado e a morte, podemos até ter olhos naturais para enxergar o céu, nossa pele, as folhas e como mudam de cor no outono, mas não *vemos* a glória a ser contemplada nelas, nem como evidenciam que existe um Deus. Os atributos invisíveis de Deus são claramente percebidos ou *vistos* com os olhos, mas não com o coração. E a culpa por isso está em nossa recusa em honrar Deus como Deus (Rm 1.20-21).

Ser cego dessa forma é não reconhecer Deus como a beleza suprema que ele é, levando-nos a viver como se tudo que ele criou fosse mais belo que o próprio Criador. Esse é verdadeiramente o pecado por trás de todos os pecados. "O que torna nossa condição pecaminosa tão arrasadora é que ficamos cegos para a glória divina — cegos para a beleza de

Cristo no evangelho. Podemos olhar bem para ela ao ler a Bíblia, ou ouvi-la na pregação, ou ainda cantá-la e não ver nada de glorioso."[5] Isso explica por que uma das dádivas do novo nascimento é o dom da visão santa.[6] Em nossa conversão, o Espírito não só ressuscitou um coração morto à vida, mas também nos deu olhos para ver e desfrutar a beleza de Deus. É ao ver Deus como ele é, em toda sua glória santa, que nossa vida é transformada.

No terceiro capítulo de 2Coríntios, Paulo fala sobre a obra do Espírito de remover nossa cegueira, ajudando-nos a ver a Deus (visão santa) e explica como esse processo é transformador, por nos conduzir à piedade: "Mas, quando alguém se converte ao Senhor, o véu é retirado. Ora, o Senhor é o Espírito e onde está o Espírito do Senhor ali há liberdade. E todos nós, que com a face descoberta *contemplamos a glória do Senhor, segundo a sua imagem estamos sendo transformados com glória cada vez maior,* a qual vem do Senhor, que é o Espírito" (2Co 3.16-18, NVI). O cenário que serve de base para o argumento de Paulo é a ocasião em que Moisés subiu o monte Sinai para receber de Deus as duas tábuas de pedra com a lei inscrita. Após ficar quarenta dias e quarenta noites com Deus, Moisés desceu do monte para o meio do povo e, para sua surpresa, sua pele resplandecia, "pois ele havia falado com o SENHOR" (Êx 34.29). Como o povo sentiu medo e não quis se aproximar de Moisés enquanto seu rosto brilhava com a glória residual, ele colocou um véu no rosto, cobrindo, por assim dizer, a glória da vista das pessoas.

Da mesma maneira, antes que o Espírito nos dê olhos para ver, ficamos absolutamente cegos para a glória, cegos para a beleza de Deus, conforme já vimos. No entanto, ao nos voltarmos para o Senhor (que também é a obra do Espírito de nos vivificar para que possamos nos voltar a ele), o véu que cobre nosso coração e nos impede de ver a glória e nos deleitar nela, é removido. Ao virar a página, somos instruídos mais uma vez de que nossa *visão* é uma dádiva e, com ela, podemos enxergar a glória. "O deus deste mundo *cegou a mente dos que não creem, para que não consigam ver a luz das boas-novas, não entendendo esta mensagem a respeito da glória de Cristo*, que é a imagem de Deus. [...] Pois Deus, que disse: 'Haja luz na escuridão', é quem brilhou em nosso coração, *para que conhecêssemos a glória de Deus na face de Jesus Cristo*" (2Co 4.4,6). John Piper afirmou certa vez: "Qual é a melhor coisa que o evangelho nos traz? Perdão dos pecados, justificação, vida eterna — tudo isso é glorioso. E são todos meios para um fim, e *o fim é* a luz do evangelho da glória de Cristo, a beleza de Cristo, a pessoa que irradia".[7] Em outras palavras, o fato de termos sido perdoados, justificados e expiados é digno de nosso louvor, mas esses dons não são superiores ao maior de todos, que é o próprio Deus, nos processos de vê-lo e conhecê-lo para sempre. Tivemos de ser perdoados para que pudéssemos conhecer Deus. Tivemos de ser justificados para que pudéssemos conhecer Deus. Nossos pecados tiveram de ser expiados para que pudéssemos conhecer Deus. É isso que torna verdadeiramente boas as boas-novas, uma vez que éramos cegos e agora podemos ver... Deus.

Como a Bíblia diz, nós nos tornamos aquilo que contemplamos. Isso se aplica aos adoradores de ídolos e também aos filhos de Deus. Para repetir uma passagem que já citei: "E todos nós, que com a face descoberta *contemplamos a glória do Senhor, segundo a sua imagem estamos sendo transformados com glória cada vez maior*, a qual vem do Senhor, que é o Espírito" (2Co 3.18, NVI). E o que exatamente é essa glória que somos instruídos a contemplar? Ou, perguntando em outras palavras, o que há em Jesus que, ao contemplá-lo, eu também me transformo à sua imagem?

## Glórias a contemplar

Para muitos, a contemplação começa com a glória do amor divino, comunicado com a maior clareza durante sua encarnação, crucificação e ressurreição. "Mas Deus nos prova seu grande amor ao enviar Cristo para morrer por nós quando ainda éramos pecadores" (Rm 5.8). Conforme eu já disse anteriormente, mas de forma diferente, nós nascemos achando que sabemos o que é o amor e, a princípio, o que sabemos a seu respeito não é ensinado, nem uma questão intelectual; antes, é tangível e experimentado. Chegamos ao mundo com pais que nos amam e nos dizem isso. Ao ouvir essas palavras, nós armazenamos a linguagem na mente, mas é *vendo* o amor em ação que somos moldados e é assim que temos a tendência de entender o amor. Talvez seja por isso que o termo em si e nosso amor por ele sejam tão fundamentais para compreendermos quem é Deus e por que o Espírito precisa reorientar, aprofundar e revelar as diferenças entre o amor que conhecemos e o amor que Cristo demonstrou.

O que quero dizer é o seguinte: o amor de pais, cônjuge, namorado, namorada, vizinho, melhor amigo, primos, avós e avôs não chega nem aos pés da grandiosidade do amor divino. Todas as pessoas mencionadas, por mais que o amem, não têm um sentimento capaz de salvar sua alma. Mas Cristo, por meio de quem pais, cônjuge, namorado, namorada, vizinho, melhor amigo, primos, avós e avôs foram criados, tomou uma decisão. Ele viu você tentando matar a sede em cisternas rachadas e não permitiu que sua cegueira quanto à fonte de águas vivas que satisfazem que ele é o impedisse de se tornar semelhante a você, a fim de poder ajudá-lo. O Deus transcendente que existe de maneira distinta de tudo aquilo que ele criou se encarnou, viveu com as criaturas e os seres humanos até a cruz, onde sua carne deu o último suspiro. O local de sepultamento, um lugar real e também uma metáfora para nossa condição antes de crermos, é onde seu corpo permanece antes que o Espírito o ressuscite no terceiro dia (Rm 8.11). As pessoas dizem que o tempo certo é tudo e, se eu não soubesse a realidade, suporia que, uma vez que Cristo morreu naquela época, eu perdi a chance de ter vida hoje, mas o sangue de Cristo não é cativo do tempo, nem do espaço. Pois Paulo, por intermédio do Espírito, disse que Cristo morreu "por nós *quando* ainda éramos pecadores" (Rm 5.8). Ou seja, embora a morte substitutiva de Cristo tenha acontecido antes que eu nascesse ou pecasse, a aplicação de sua graça salvadora é tão presente e disponível hoje quanto naquela época. Glória!

Outra glória a ser contemplada é a paz de Cristo. Antes de sua crucificação, Jesus disse aos discípulos: "Eu lhes deixo um presente, a *minha plena paz*" (Jo 14.27). A paz que Jesus promete dar é a paz que ele próprio tem. Sua paz é *shalom* do coração e da mente, que nunca estremece diante do que está por vir, nem se inquieta diante do que já é. Quando você abre a Bíblia no episódio em que Jesus acalmou o mar, seu coração o contempla ali? Jesus está em um barco jogado para todos os lados pela força das ondas, inquieto e fora do lugar, quando água indiscriminada decide cair dentro da embarcação e se espalhar em seu interior, ameaçando cobrir tudo antes que o sol apareça. Todos a bordo sentem o mar azul nos pés, já se aproximando dos joelhos. Correm até a popa do barco e o que veem? Paz. Jesus está em silêncio, dormindo sossegado. De olhos fechados, corpo aconchegado para se manter aquecido enquanto a seu redor reina o completo caos. Poderia ser exaustão? Ressuscitar pessoas e pregar para quem está morto são tarefas cansativas, tenho certeza, mas a ansiedade não se importa nem um pouco com o cansaço. Ela mantém a pessoa acordada, convencendo-a de que não pode dormir, para não perder o controle. Mas a paz essencial a um Deus santo é esta: quem sabe e controla todas as coisas não se incomoda nem pode se incomodar com aquilo que está sob seu conhecimento infinito e sua soberania completa. Por trás da ansiedade humana se encontra uma inversão de identidade, segundo a qual o finito tenta ser nosso infinito. Com nosso conhecimento finito, queremos saber tudo para não ser pegos desprevenidos em nada. Com nossas habilidades finitas, queremos e tentamos controlar tudo, para que não sejamos controlados por nada. Falhamos em ambos os casos, pois é impossível ser como Deus dessa maneira, tornando a paz de Deus evasiva para quem mais precisa dela. Mas contemple Jesus. Ele está para sempre firme, inabalável e imperturbável, a ponto de conseguir dormir como uma criancinha enquanto uma tempestade guerreia contra seu lugar de descanso. Por ser Criador e Senhor da tormenta, ele ordena que ela faça o que ele sempre faz e jamais hesita em fazer: "Paz! Aquiete-se!". Glória!

Outra glória que vale a pena ver e saborear[8] é a bondade de Deus. Com frequência, sua bondade é usada como incentivo, relativo a sua gentileza para conosco. "Portanto, amem os seus inimigos, façam-lhes o bem e emprestem a eles sem esperar nada de volta. Então a recompensa que receberão do céu será grande e estarão agindo, de fato, como filhos do Altíssimo, pois ele é bondoso até mesmo com os ingratos e perversos" (Lc 6.35). Cristo, o Rei bondoso, não exibe o tipo de bondade proveniente de meros sentimentos e da "cortesia" superficial. Sua bondade não é uma forma elevada de cordialidade, como se o sorriso que estende aos pecadores fosse apenas isso, um sorriso e nada mais. Sem um coração terno. Sem o compromisso firmado em aliança de fazer o bem. Sem o cuidado autêntico com o bem-estar das pessoas que vai além de atos aleatórios de benevolência, realizados somente quando ele sente vontade. Nada disso! Ele é rico em bondade para com todos que jamais mereceram. Aos justos e injustos, ele concede uma vida diária repleta até o topo de risada com os amigos, amor entre o casal, um ventre para gestar nova vida, comida, cultura e entretenimento, uma série de delícias. Ele não privou nenhum filho de Adão dessas alegrias. Estão disponíveis a todos, inclusive àqueles que jamais lhe deram o coração em troca.

E como se isso não bastasse, doou a riqueza de sua bondade na forma do sacrifício de seu corpo. "Embora fosse rico, por amor a vocês ele se fez pobre, para que por meio da pobreza dele vocês se tornassem ricos" (2Co 8.9). Ao se esvaziar de si mesmo para se tornar homem, deixou de lado os direitos e as riquezas referentes a sua divindade para que nele, graças a sua bondade suprema, você possa ser rico. A prosperidade mencionada é muito superior ao patrimônio em dinheiro e moedas. Seria um gesto muito descortês para conosco e algo incompreensível Cristo nos dar sua vida somente para nos ofertar segurança econômica, ciente de que receberíamos de suas mãos apenas aquilo que, um dia, a traça e a ferrugem corroerão. As riquezas que herdamos possuem outra glória bem mais duradoura. Nelas, há "todas as bênçãos espirituais", uma herança que nos leva a louvar sua glória (Ef 1.3,11-12). Somos "herdeiros" de Deus e "co-herdeiros com Cristo", com quem um dia "participaremos também de sua glória" (Rm 8.17) — a glória da qual ele se esvaziou a fim de que pudéssemos ter parte nela. Foi Paulo quem disse: "*Pois tudo lhes pertence: Paulo, Apolo ou Pedro, o mundo, a vida e a morte, o presente e o futuro. Tudo é de vocês*" (1Co 3.21b-22). E nosso Senhor declarou: "O vencedor *herdará tudo isto, e eu serei seu Deus, e ele será meu filho*" (Ap 21.7).

Se há algo mais que deve ser dito acerca da bondade de Deus — e sempre há mais a se dizer — seria como, por causa dela, podemos ver, conhecer, falar, ouvir, conversar, nos deleitar e viver eternamente com o Deus santo e transcendente, que criou os céus e a terra. Não é essa a origem de nossa alegria regenerada? Por que outra razão dedicamos a Deus cânticos, poemas, sabedoria, o corpo, a mente, o casamento, os filhos, o coração e o primeiro momento da manhã se não pelo transbordamento da felicidade de nosso coração no conhecimento dele? Sua bondade nos foi dada para nos conduzir ao arrependimento (Rm 2.4), e foi isso mesmo que ela fez (para todo aquele que nasceu de novo). Ele é glorioso e transcendente acima de todos, porém próximo o suficiente para ser descoberto pela visão sem véu. De nossa parte, nossos olhos foram abertos para um Deus único, que foi, é e há de vir. E tudo aquilo que nós vimos é infinitamente melhor do que qualquer coisa que veremos. Pois o que fizemos para merecer sua outra face e o acolhimento de suas mãos? Nada. Recebemos essas coisas porque faz parte da natureza santa de Deus ser tão bom assim. Ah, a bondade benevolente de Deus! Glória!

Esses atributos que agora temos olhos para ver só tocam a superfície do que há para se contemplar em Deus. Dão-nos apenas facetas de sua glória, glória essa que levaremos toda a eternidade para absorver. Todavia, ao contemplar a glória, conforme vimos no Filho, mesmo que por partes, vislumbres e facetas, somos transformados a sua imagem e, conforme observamos, essa imagem é de santidade desimpedida. Observe que as glórias destacadas acima — amor, paz e bondade — são também três das características visíveis na vida daqueles que são guiados pelo Espírito Santo. "Mas o fruto do Espírito é amor, alegria, paz, paciência, amabilidade, bondade, fidelidade, mansidão e domínio próprio" (Gl 5.22-23). O fruto do Espírito produz em nós o caráter do próprio Jesus. Alexander MacLaren, em sua exposição de 2Coríntios 3, afirma: "Se você olhar bem de perto dentro dos olhos de uma pessoa, verá ali pequenas imagens daquilo que ela contempla no momento. Se nosso coração contempla Cristo, ele será espelhado e manifesto em nosso coração. Nosso caráter revelará o que olhamos e, no caso dos cristãos, essa imagem deve ser revelada com tamanha clareza que as pessoas não consigam deixar de perceber que estivemos com Jesus".[9] Pela contemplação, somos transformados.

# 7
# Santo como?: contemplando, nos tornamos

Conforme vimos, o processo de nos tornarmos semelhantes a Cristo é chamado de santificação, ou, como muitos dizem, "transformação". Volto a colocar este texto à sua frente: "E todos nós, que com a face descoberta contemplamos a glória do Senhor, *segundo a sua imagem estamos sendo transformados* com glória cada vez maior" (2Co 3.18, NVI). Mudar de uma língua para a outra expõe a plenitude da palavra e como ela era usada em outro lugar. O que quero dizer com isso? Que, no idioma original, transformação é o mesmo que transfiguração. É provável que, na mente de Paulo, ele esteja conectando a transfiguração de Cristo à transformação dos cristãos. A metamorfose pela qual Jesus passou na presença dos três discípulos foi diferente da nossa no sentido de que, em sua transfiguração, a glória de Jesus foi desvelada. Quando sua face "brilhava como o sol" e suas roupas se tornaram "brancas como a luz", foi a glória interior da natureza de Cristo, brilhando por meio de seu corpo encarnado, que a escondeu (Mt 17.2). Conforme explica um comentário bíblico, não foi

> que ele revelou sua natureza divina, ou deixou de lado seu corpo humano; sua natureza corpórea permaneceu inteiramente, mas permeando-a estava um esplendor que indicava a Divindade. Talvez se possa dizer, conforme expressou um antigo escritor, que

> a transfiguração foi mais a cessação temporária de um milagre habitual do que um novo milagre, pois o velamento de sua glória é que era a real maravilha, a restrição divina que proibia a iluminação de sua humanidade sagrada.[1]

Aquilo que os discípulos contemplaram foi a essência interior de Deus, a fonte de toda luz divina transparecendo, transformando a aparência visual de Jesus. Assim como Moisés, mas diferente deste, pois, após estar com Deus, a aparência do rosto de Moisés mudou, brilhando com luz visível. A diferença é que a glória na face de Moisés era uma glória *refletida.* No caso de Jesus, a transfiguração revelou sua glória *inerente.*[2] Assim acontece com qualquer cristão que contempla a glória do Senhor. Ele só é capaz de refletir aquilo que viu. E algo ainda mais profundo: só consegue ser santo, em um estado visível e discernível de ser, se receber o presente de uma natureza santa. Só assim podemos ser quem realmente somos, e se nascemos de novo temos uma glória interior que brilha do Espírito do Deus vivo, o agente de nossa transfiguração pessoal. Brilhantes o suficiente para o mundo ver. Verdadeiros o bastante para provar que ser cristão é ser autêntico e, assim, revelar a santidade de se tornar uma nova criatura.

É importante afirmar que, embora seja o Espírito que nos leve a ver, regenerando nossa natureza, convertendo nossa alma, nos dando poder para caminhar como "filhos da luz" (Ef 5.8), ainda assim há uma obrigação de nossa parte em participar com o Espírito do processo de santificação. Isso significa que nosso crescimento em santidade não é passivo. Filipenses 2.12-13 fala sobre o paradoxo que a santificação pode ser: "Quando eu estava aí, meus amados, vocês sempre seguiam minhas instruções. Agora que estou longe, é ainda mais importante que o façam. Trabalhem com afinco a sua salvação, obedecendo a Deus com reverência e temor. Pois Deus está agindo em vocês, dando-lhes o desejo e o poder de realizarem aquilo que é do agrado dele". Depois de ressuscitarmos dos mortos, seria tolo presumir que não podemos, nem devemos fazer nada para crescer e viver como Deus, assim como seria insensato imaginar que uma semente plantada é capaz de crescer sem aguar o solo. A contemplação do Senhor é fundamentalmente *ativa.* O sol, em todo seu esplendor, brilha sobre nós quase todos os dias, mas só é visto por aqueles que decidem voltar o rosto para cima e olhar.

Mas para onde olhar? O que pode nos mostrar tamanha glória a ponto de sermos transformados por ela? Nosso olhar deve se voltar para algo simples, acessível e não escondido de nós. São as Sagradas Escrituras que traçam um retrato constante de Deus, como ele deve ser visto e entendido. Inspiradas pelo Espírito Santo, preservadas por ele e interpretadas com seu auxílio iluminador também, é ali, nas páginas repletas de narrativas, cânticos, poemas e cartas, que podemos contemplar Cristo. Ele é a glória em todos os itens acima. O sistema de sacrifícios, o bode expiatório, o sangue no umbral das portas, o tabernáculo e o lugar santo. Ele é o irmão rejeitado com o manto do Pai. É aquele com a funda em mãos, o salvador de um povo tímido. É o maná da manhã e a luz à noite. É Isaque e o carneiro, a escada de Jacó e o Rei de Davi. É a serpente levantada e o Deus que desceu. É a origem e o cumprimento da lei. É o prazer do salmista e a explanação da epístola. Alguém pode dizer que peguei histórias familiares das Escrituras e as tornei diferentes do que são, mas, na verdade, só estou testemunhando do que diz Lucas: "Então Jesus os conduziu por todos os escritos de Moisés e dos profetas, explicando o que as Escrituras diziam a respeito dele" (Lc 24.27).

A que Jesus recorre ao tentar mostrar para seus discípulos a glória de quem ele é? Como os ajuda a contemplar tudo que cumpriu para eles? Por meio das Escrituras. É impossível contemplá-lo com tamanha clareza em outro lugar além da Palavra que ele nos concedeu. À medida que a lemos e nela cremos, somos transformados. Conforme Piper explicou:

> Foi assim que Deus planejou que as Escrituras operem para a transformação humana e para a glória de Deus: as Escrituras revelam a glória divina. Essa glória, com a permissão divina, é vista por aqueles que leem a Bíblia. Tal visão conduz, pela graça de Deus, a saborear Deus mais do que todas as coisas — entesourá-lo, nele depositar as esperanças, senti-lo como nossa maior recompensa, prová-lo como o bem que nos satisfaz. E esse sabor *transforma* nossa vida.[3]

Ao dizer que contemplamos Deus em sua Palavra e somos então transformados pelo que vemos, não estou subentendendo que apenas ver basta. Existe e sempre existiu um tipo de engano em meio aos religiosos de que a mera leitura da Palavra de Deus é suficiente em si mesma para transformar seus leitores em pessoas espirituais. Que se, pela manhã, quando abrimos nossa Bíblia com capa de couro ou passamos o dedo para a esquerda e para a direita a fim de acessá-la no aplicativo, somos transformados pela mera leitura. Só Deus sabe o quanto eu queria que fosse simples assim, mas nós não conhecemos (ou fomos) pessoas capazes de citar a Bíblia com facilidade e ainda assim viver como um diabo de carne e osso? Até mesmo eles — ou seja, os demônios — sabem qual é a verdade bíblica sobre Deus. Durante o ministério terreno de Jesus, os demônios eram mais rápidos em reconhecer a realidade de quem Jesus era, antes dos seres humanos. Chamaram-no de "Filho do Deus Altíssimo" (Mc 5.7) e, logo em seguida, imploraram para que os deixasse entrar nos porcos. O demônio que possuía um homem que visitou a sinagoga disse para Jesus: "*Sei quem é você: o Santo de Deus!*" (Lc 4.34). Tiago elogiou de maneira sarcástica a "fé" infrutífera dos destinatários de sua carta ao escrever: "Você diz crer que há um único Deus. Muito bem! Até os demônios creem nisso e tremem de medo" (Tg 2.19). Isso me diz que um demônio pode muito bem ouvir Deuteronômio 6.4 ser citado em seu púlpito favorito e, diante das palavras "Ouça, ó Israel! O SENHOR, nosso Deus, o SENHOR é único!", responder com fervor demoníaco: "Amém!".

Como interagimos com aquilo que a Bíblia nos diz nos diferencia dos demônios se e somente se *acreditamos* no que *vemos*. Os demônios já demonstraram conhecer os fatos certos sobre Jesus, mas se rebelaram contra o que conhecem, revelando que seu conhecimento acerca de Deus é superficial, uma vez que os leva a reconhecê-lo, mas não a glorificá-lo. O mesmo aconteceu com os líderes religiosos da época de Jesus. Eles sabiam mais do que a maioria, mas, ao mesmo tempo, levavam uma vida pior. É de se pensar que ser "especialistas na lei" os levaria a uma santidade particular, nascida de todo aquele conhecimento, mas isso só funcionava para ensiná-los como parecer santos sem de fato o ser. Eram "túmulos pintados de branco", uma versão morta de pureza e luz, com o coração semelhante aos dos sepultados nos cemitérios, cheios de "ossos e de toda espécie de impureza por dentro" (Mt 23.27).

## Contemplação e crença

Ao expor a ignorância e hipocrisia dos fariseus, Jesus com frequência os lembra de seus títulos, a fim de mostrar a inconsistência de saber tanto, mas, ao mesmo tempo, levar uma vida tão distante da justiça. Eles se dedicavam ao estudo da Palavra de Deus, examinando-a para ver se encontravam vida eterna nas palavras em si, quando, na verdade, se tão somente acreditassem naquilo que já sabiam, teriam a certeza de que a vida eterna era encontrada em Cristo e nele somente. A eles, Jesus disse: "*Vocês estudam minuciosamente as Escrituras* porque creem que *elas* lhes dão vida eterna. *Mas as Escrituras apontam para mim!* E, no entanto, vocês *se recusam* a vir a mim para receber essa vida" (Jo 5.39-40). E por que, depois de examinar as Escrituras, eles se recusavam a se aproximar do Jesus sobre quem as Escrituras testemunham? Porque eles não *acreditavam* no que *liam*. "Se *cressem*, de fato, *em Moisés*, *creriam em mim*, pois ele escreveu a meu respeito. Contudo, uma vez que *não creem naquilo que ele escreveu*, como crerão no que eu digo?" (Jo 5.46-47). Ao contemplar a Cristo, não se tornaram como ele porque não viam, nem acreditavam no que já estava escrito a respeito do Salvador.

É extraordinária a conexão entre contemplar a crer, e como essas duas coisas antecedem a transformação. Você se lembra de nossa conversa sobre quem adora ídolos e como tais pessoas acabam se parecendo com aquilo que cativa seu olhar? Já notou como o salmista descreveu o motivo para sua transformação? Ele disse: "Aqueles que fazem ídolos *e neles confiam são exatamente iguais a eles*" (Sl 115.8). Eles não voltam simplesmente seus olhos para os ídolos, assim como um homem encara um rosto atraente ou uma criança olha para uma bala sem dono. Não. Seus olhos são uma metáfora para onde depositaram a fé. Eles olham porque creem. Os amantes de ídolos o fazem porque confiam que uma coisa criada é capaz de sustentar, satisfazer, ajudar, proteger e assim por diante. Mesmo que tal fé seja inútil, continua a ser fé, transformando aquele que vê à imagem daquilo em que ele mais acredita. Sua fé equivocada informa seu estilo de vida porque aquilo em que cremos governa como nos comportamos.

Após alimentar cinco mil pessoas com uma boa porção de pães e peixes, Jesus disse à multidão que ele era o verdadeiro alimento. Aquilo que comeram, embora os satisfizesse no momento, não duraria por muito tempo. Era semelhante ao maná, que seus antepassados sabiam que apodreceria logo antes de acordarem, bem na hora da próxima refeição vinda do céu. Esse pão, como o deles, não os preencheria mais na manhã seguinte. Nesse contexto da barriga antes alimentada mas agora vazia, em uma parábola para almas às vezes cheias mas facilmente esvaziadas, Jesus declara que ele é o pão da vida. Se o ouvinte comum de Cristo fosse parecido com o leitor comum da Bíblia, o testemunho de Jesus acerca de si mesmo não passaria de mais um ótimo versículo para citar, uma frase motivacional, ou uma tatuagem incrível para fazer. Mas o que ele disse acerca de si mesmo não foi apenas para ser ouvido ou visto, mas, sim, para que *crêssemos*, pois é mediante a crença que as palavras são vivenciadas.

Jesus diz à multidão quem ele é e continua a descrever o que acontece quando as palavras que ele profere sobre si mesmo são consideradas verdadeiras: "Eu sou o pão da vida. Quem vem a mim nunca mais terá fome. Quem crê em mim nunca mais terá sede" (Jo 6.35). "Quem vem" é o mesmo que "quem crer". Parafraseando as palavras do Senhor, ele está dizendo:

"Todo aquele que crer em mim nunca mais terá fome, nem sede, pois já veio a mim e eu o preenchi".

Jesus não quer que os outros ou nós tenhamos uma mera relação intelectual com as palavras em si. Em vez disso, ele deseja que, ao crer, produzamos frutos consistentes com o conhecimento da pessoa que detém o título. Pense em seus pecados mais insistentes e em como eles revelam partes em você que estão famintas ou sedentas. Há um mundo de paixões dentro de nós, guerreando contra nossa alma, tentando os olhos de nosso coração a olhar para (ou confiar em) tudo o mais, a fim de apagar sua sede e aquietar seu rugido. Somos carentes e isso não é motivo de vergonha, pois a ausência de necessidades pertence a Deus e a ele somente. E se Deus não tem necessidades, ele é totalmente suficiente em si mesmo, ou seja, tem recursos infinitos que jamais necessitarão de outro para restaurar ou preservar. É isso que significa para Deus ser pão — ele é verdadeiramente capaz de satisfazer de tal maneira que nossa fome é substituída por saciedade, nossa sede também é aplacada. Por isso, não basta dizer para você "parar de pecar". Em vez disso, digo: "Olhe para Cristo. Ele é o pão da vida. Vá a ele para ser saciado".

## Crença e transformação

De que modo a crença de que Jesus é o pão da vida torna santo aquele que crê? Continuando a metáfora da comida, o pão em particular não é um alimento leve (se for adequadamente preparado, é claro). É pesado, denso, cheio de glúten e todo fofo. Se você der pão a uma família, entregou-lhe um alimento que encherá a barriga rápido. Depois de consumido, o estômago é totalmente preenchido, o corpo fica satisfeito a ponto de conseguir ver outro pedaço de pão, ou refeição, ou dinheiro, ou tentação sexual, ou oportunidade para o ego e não confundir vontade com necessidade. Estar satisfeito é estar cheio. Estar cheio significa que não há mais espaço para nada. Logo, a santidade começa a caracterizar aqueles que confiam em Cristo, preenchendo-os de Jesus, pois todas as suas necessidades, no corpo, na mente e na alma, são supridas em Deus, que os liberta da dependência de qualquer outra coisa no céu ou na terra para isso.

O salmista Asafe conhecia essa verdade. Foi por isso que ele disse a Deus: "Quem mais eu tenho no céu senão a ti? Eu te desejo mais que a qualquer coisa na terra. Minha saúde pode acabar e meu espírito fraquejar, mas Deus continua sendo a força de meu coração; ele é minha possessão para sempre" (Sl 73.25-26). Não é que o salmista não tinha outros desejos. Assim como nós, ele era um portador de imagem, e a imagem que ele tinha o privilégio de espelhar era a de Deus, que também tem capacidade de sentir. A origem da possibilidade de sentir qualquer coisa se encontra no próprio Deus. Por isso, nossas afeições não são estranhas, nem fundamentalmente más. Elas nos tornam humanos, com condição de amar e ser amados, chorar com os que choram, desfrutar os amados e amigos. Mas o mau uso pecaminoso das emoções é que nos leva a praticar atos desumanos. Quando o pecado se entrelaça a nossas vontades, causa conflito, licenciosidade, inveja, ciúmes, imoralidade sexual, embriaguez, feitiçaria, acessos de raiva (Gl 5.19-21). Nós pecamos porque *sentimos* vontade e pecamos porque *amamos* o pecado. Não surpreende nossa resistência ao convite à santidade, como se este fosse um pesadelo, pois temos desejos demais competindo por nosso coração inteiro.

O que fazer com esses pecados ou desejos de pecar? Primeiro precisamos destroná-los, por meio do arrependimento, reconhecendo sua incompetência e impossibilidade de ser um amor digno, um pão nutritivo. Quando o Espírito regenera nossa alma faminta, ele não a deixa vazia como o túmulo do qual Jesus saiu. Em vez disso, recebemos um novo coração, conforme agora sabemos, e junto com ele vem uma afeição por Deus entronizada sobre todas as outras. Thomas Chalmers deu uma célebre explicação sobre essa ideia ao escrever: "Já afirmamos o quanto é impossível para o coração, por meio de qualquer elasticidade inata a ele próprio, tirar o mundo de dentro de si; e assim se reduzir a um deserto. O coração não é constituído dessa maneira. A única forma de desapropriar uma afeição antiga é mediante o poder expulsivo de uma nova".[4] Nosso amor pelo pecado está enraizado na descrença em Deus e na fragilidade de nossa afeição por ele. Quando falo em fragilidade, refiro-me ao que C. S. Lewis disse ao declarar: "Tudo indica que nosso Senhor não acha nossos desejos fortes demais, mas, sim, fracos demais. Somos criaturas descompromissadas, enganando-nos com bebida, sexo e ambição, quando alegria infinita nos é oferecida".[5] Quando o ser humano acredita que Deus é pão, salvador, mantenedor, provedor, consolador, Senhor, Rei e tudo mais que revelou ser, seu coração diz: "Não há nada neste mundo que eu deseje além de ti". Pois encontrou Aquele que possui tudo de que o coração necessita. Desejar Deus acima de todas as coisas é o solo que cultiva a santidade. Recebemos poder para fugir do pecado por meio do Espírito. *Desejaremos* e *escolheremos* sacrificar o que é terreno em nós quando acreditarmos que Deus é infinitamente melhor do que tudo que nos tenta a abandoná-lo.

Contemplar a glória de Deus em sua Palavra e crer em tudo que ela revela transforma você à mesma imagem. Essa linguagem de refletir a imagem de Deus começou em Gênesis, quando a Divindade proclamou: "Façamos o ser humano à nossa imagem; ele será semelhante a nós" (Gn 1.26). Esse tema também é presente nas epístolas, em relação a se parecer com Cristo e ser santo como ele é. Romanos 8.29 diz: "Pois Deus conheceu de antemão os seus e os predestinou para se tornarem *semelhantes à imagem de seu Filho*". A "antiga natureza", à qual Paulo alude em Colossenses 3, se refere à pessoa e aos comportamentos que moldavam quem éramos antes que o Espírito nos tornasse novos. Antes de nossa regeneração, éramos tão maus quanto a longa duração da noite. Depois de sermos vivificados, porém, recebemos a instrução de nos despir desse antigo estilo de vida e milagrosamente conseguimos fazê-lo. Agora somos revestidos da "nova natureza", que é renovada "em conhecimento, à imagem de seu Criador" (Cl 3.10, NVI). Contemplar a Cristo nos motiva à santidade enquanto observamos a pureza moral e a beleza transcendente de Jesus. Por meio dessa visão, porém, também aprendemos os caminhos de Jesus.

> Mas não foi isso que vocês aprenderam de Cristo. Uma vez que ouviram falar de Jesus e foram ensinados sobre a verdade que vem dele, livrem-se de sua antiga natureza e de seu velho modo de viver, corrompido pelos desejos impuros e pelo engano. Deixem que o Espírito renove seus pensamentos e atitudes e revistam-se de sua nova natureza, *criada para ser verdadeiramente justa e santa como Deus.*
>
> Efésios 4.20-24

Minha esperança é que, a esta altura, já saibamos como Deus é. Se não soubermos, o mundo e a carne nos apresentarão maneiras deficientes de refletir sua imagem, dizendo-nos que podemos nos parecer com Deus e com Satanás ao mesmo tempo. O mundanismo é nada mais, nada menos que o desejo intenso por prazer físico, o desejo intenso pelo que vemos e o orgulho da vida (1Jo 2.16). Esse é o próprio pulso de vida de qualquer contexto que chamemos de lar. E jamais deveríamos pegar dicas de como viver de algo que está morrendo. Se não tivermos clareza sobre "a verdade", conforme contada e revelada em Cristo, o mundo inevitavelmente nos seduzirá de volta para ele. David Wells, ao explicar o quanto o mundo pode ser convincente, declarou: "O mundo é aquele sistema de valores cuja fonte é o caráter pecaminoso da humanidade e cuja expressão é cultural. É aquela vida coletiva que dá validade ao nosso pecado pessoal. É tudo na sociedade que faz as atitudes e práticas pecaminosas parecerem normais".[6]

Ao olhar para Cristo, sabemos como Deus é. Quem e como ele é — esse é o objetivo final de "nos tornar". Lembre-se, Deus é bom em todos os aspectos. Separado de tudo que existe, sendo uma classe em si mesmo, entronizado no alto, ele se assenta onde anjos cantam seus louvores. Relembremos e pensemos mais uma vez em sua santidade: ele é totalmente livre para ser quem é e jamais pode ser quem ele não é. Nada nos céus ou na terra controla o Deus soberano. Essa liberdade foi expressa quando ele nos criou em amor. Deus não nos criou porque algo fora de nós lhe disse ou convenceu de que ele deveria fazê-lo. Não fez o mundo por necessidade, como se Deus dependesse do que criou para ser pleno. Nada disso. Criou o mundo e tudo que nele existe porque se agradou de dar vida a criaturas que participariam do amor que ele sempre teve pelo Filho por meio do vínculo do Espírito. "Pai, quero que os que me deste estejam comigo onde estou. Então eles verão toda a glória que me deste, porque *me amaste antes mesmo do princípio do mundo"* (Jo 17.24). E: "Eu revelei teu nome a eles, e continuarei a fazê-lo. *Então teu amor por mim estará neles*, e eu estarei neles" (Jo 17.26). Deus se doa dessa maneira, criando-nos para que pudéssemos conhecê-lo. O amor de Deus por nós em Cristo, conforme derramado pelo Espírito (Rm 5.5), nos levou à comunhão com ele e com o Filho. A partir de então, passamos a contemplar a beleza de sua santidade e, pela contemplação, nos tornamos tão amorosos quanto ele.

Ao olhar para Cristo, nós também somos separados do mundo e das coisas que lhe dão prazer. Nós pertencemos a Deus, entregando-lhe nosso corpo como um sacrifício vivo, nossa boca como seus embaixadores, nossos pés para levar suas boas-novas. Quando cremos que Deus é o pão da vida que satisfaz, ele nos preenche e nos liberta de ser escravos de tudo e todos. A satisfação em Deus nos torna totalmente "independentes de nosso ambiente", uma vez que deixamos de necessitar de pessoas ou circunstâncias para nos tornar felizes ou plenos.[7] Por sermos "pessoas libertas", sentimo-nos livres para amar com generosidade, como Deus nos amou, sem pagar o mal com o mal, mas voltando a outra face, enquanto buscamos a pureza moral com tudo que temos. Revestidos da novidade em Cristo, nós fazemos "morrer as coisas pecaminosas e terrenas [...] da imoralidade sexual, da impureza, da paixão sensual, dos desejos maus e da ganância, que é idolatria" (Cl 3.5). E assim trajados, como escolhidos de Deus, "de compaixão, bondade, humildade, mansidão e paciência" (v. 12). Esse amor repleto de poder do céu para com Deus e o próximo pode nos colocar em contradição com o mundo ao nosso redor, mas, mesmo nesse caso, como a paz de Deus é nossa também, nos sentimos tranquilos e seguros. É o mundo que Cristo já venceu e, por meio dele, nós o venceremos também.

Ele afirmou o seguinte a respeito dos santos: "O vitorioso se sentará comigo em meu trono, assim como eu fui vitorioso e me sentei com meu Pai em seu trono" (Ap 3.21). E ali, finalmente, após dar nosso último suspiro, entenderemos por que nosso morrer é lucro. Ao abrir os olhos antes cegos, que agora veem, ele finalmente aparecerá, e sabe o que acontecerá em seguida? "Sabemos que, quando ele se manifestar, *seremos semelhantes a ele, pois o veremos como ele é*" (1Jo 3.2, NVI).

Pela contemplação, nos tornamos. Santos.

# Notas

**Introdução**

[1]Ellen Brown, "Writing Is Third Career for Morrison", Cincinnati Enquirer, 27 de setembro de 1981.

**Capítulo 1**

[1]"Temor: sentimento de profundo respeito ou de reverência" (*Dicionário Brasileiro da Língua Portuguesa Michaelis,* 3ª acepção, <https://michaelis.uol.com.br/moderno-portugues/busca/portugues-brasileiro/temor/>).

[2]Stephen Charnock, *Discourses upon the Existence and Attributes of God*, vols. 1—2 (New York: Robert Carter & Brothers, 1874), p. 221.

[3]Matthew Barrett, "Divine Simplicity", <https://www.thegospelcoalition.org/essay/divine-simplicity/>.

[4]Charnock, *Discourses upon the Existence and Attributes of God*, p. 172.

[5]Tony Evans, sermão "The Secret to Powerful Prayer", 15 de setembro de 2019, <https://www.youtube.com/watch?v=EVkC-zzubWY>.

[6]Essa relação é analisada em maiores detalhes no capítulo 2, quando nos debruçamos sobre a interação entre Pedro e Jesus.

[7]A. W. Tozer, *The Knowledge of the Holy* (New York: HarperCollins, 1961), p. 105. [No Brasil, *O conhecimento do santo.* Americana, SP: Impacto, 2018.]

**Capítulo 2**

[1]Stephen Charnock, *Discourses upon the Existence and Attributes of God*, vols. 1—2 (New York: Robert Carter & Brothers, 1874), p. 128.

[2]Idem, p. 130-131.

[3]Bruce Milne, *The Message of John* (Downers Grove, IL: InterVarsity Press, 1993), p. 50.

[4]Michael Reeves, *Delighting in the Trinity* (Downers Grove, IL: InterVarsity Press, 2012), p. 22.

[5]Charnock, *Discourses upon the Existence and Attributes of God*, p. 125.

[6]Thomas Chalmer, *The Expulsive Power of a New Affection* (Wheaton, IL: Crossway, 2020).

[7] C. S. Lewis, *Mere Christianity* (New York: HarperCollins, 1952), p. 55-56. [No Brasil, *Cristianismo puro e simples*. Rio de Janeiro: Thomas Nelson Brasil, 2017.]
[8] Idem.
[9] A frequência da expressão depende da versão consultada. Na Nova Versão Transformadora, essa expressão ocorre 25 vezes no livro de João. Mesmo quando o palavreado de outras traduções é diferente, a lição fica clara em todas as passagens relevantes: Jesus está tentando nos ajudar a perceber que ele está nos dizendo a verdade.
[10] Charnock, *Discourses upon the Existence and Attributes of God*, p. 224.

## Capítulo 3

[1] R. C. Sproul, *The Holiness of God* (Carol Stream, IL: Tyndale, 1985), p. 48. [No Brasil, *A santidade de Deus*. São Paulo: Cultura Cristã, 2019.]
[2] A. W. Tozer, *The Knowledge of the Holy* (New York: HarperCollins, 1961), p. 32. [No Brasil, *O conhecimento do santo*. Americana, SP: Impacto, 2018.]
[3] David Wells, *God in the Whirlwind* (Wheaton, IL: Crossway, 2014), p. 79. [No Brasil, *Deus no redemoinho*. São Paulo: Cultura Cristã, 2019.]

## Capítulo 4

[1] A. W. Tozer, *The Knowledge of the Holy* (New York: HarperCollins, 1961), p. 1. [No Brasil, *O conhecimento do santo*. Americana, SP: Impacto, 2018.]
[2] Leia mais sobre esse conceito em: Michael Reeves, *Delighting in the Trinity* (Downers Grove, IL: InterVarsity Press, 2012), sobretudo no capítulo 2, chamado "Creation: The Father's Love Overflows", p. 39-62.
[3] R. C. Sproul, *Moses and the Burning Bush* (Sanford, FL: Reformation Trust Publishing, 2018), p. 81.
[4] No livro *Counterfeit Gods*, Tim Keller comenta que "os textos bíblicos [...] definem a idolatria como a autossalvação". Essa observação na página 160 do livro moldou minha visão das coisas (New York: Penguin Books, 2009). [No Brasil, *Deuses falsos*. São Paulo: Vida Nova, 2018.]
[5] Alexander MacLaren, *Alexander MacLaren's Expositions of Holy Scripture, Isaiah and Jeremiah* (domínio público), p. 245, comentário sobre Jeremias 2.13, <https://www.studylight.org/commentaries/eng/mac/jeremiah-2.html>.
[6] Stephen Charnock, *Discourses upon the Existence and Attributes of God*, vols. 1—2 (New York: Robert Carter & Brothers, 1874), p. 216-217.

## Capítulo 5

[1] Stephen Charnock, *Discourses upon the Existence and Attributes of God*, vols. 1—2 (New York: Robert Carter & Brothers, 1874), p. 181.

[2] Fred Zaspel, "Four Aspects of Divine Righteousness", *Reformation & Revival Journal*, vol. 6, n. 4, inverno de 1997.

[3] A. W. Tozer, *The Knowledge of the Holy* (New York: HarperCollins, 1961), p. 68. [No Brasil, *O conhecimento do santo.* Americana, SP: Impacto, 2018.]

[4] Zaspel, "Four Aspects of Divine Righteousness".

[5] Adaptado de John Piper, "What Is Sin? The Essence and Root of All Sinning", 2 de fevereiro de 2015; <https://www.desiringgod.org/messages/what-is-sin-the-essence-and-root-of-all-sinning>.

[6] Charnock, *Discourses upon the Existence and Attributes of God*, p. 181.

[7] J. I. Packer, *Concise Theology* (Carol Stream, IL: Tyndale, 1993), p. 262-263. [No Brasil, *Teologia concisa.* São Paulo: Cultura Cristã, 2019.]

[8] R. C. Sproul, *The Holiness of God* (Carol Stream, IL: Tyndale, 1985), p. 108. [No Brasil, *A santidade de Deus.* São Paulo: Cultura Cristã, 2019.]

[9] John Murray, *The Epistle to the Romans* (Grand Rapids, MI: Wm. B. Eerdmans, 1968), p. 35. [No Brasil, *Romanos: Comentário bíblico.* 3ª ed. São José dos Campos, SP: Fiel: 2018.]

[10] Charnock, *Discourses upon the Existence and Attributes of God*, p. 182.

[11] Sproul, *The Holiness of God*, p. 117.

[12] John Piper, "The Just and the Justifier", 23 de maio de 1999, <https://www.desiringgod.org/messages/the-just-and-the-justifier>.

## Capítulo 6

[1] John Owen, *The Works of John Owen*, ed. William H. Goold, vol. 3: *Pneumatologia: A Discourse Concerning the Holy Spirit* (Edinburgh: T&T Clark, n.d.), p. 386.

[2] Definição adaptada de: "Regeneration: An Essay by Matthew Barrett", <https://www.thegospelcoalition.org/essay/regeneration/>.

[3] Thomas Chalmers, *The Expulsive Power of a New Affection* (Wheaton, IL: Crossway, 2020).

[4] Archibald Alexander, *Thoughts on Religious Experience* (Carlisle, PA: Banner of Truth Trust, 1978), p. 79.

[5] John Piper, "Why Do Christians Preach and Sing?", 3 de janeiro de 2015, <https://www.desiringgod.org/messages/why-do-christians-preach-and-sing>.

[6] Adaptado da declaração de Piper: "A conversão, a fé, a salvação, o novo nascimento — tudo é um dom de ver", em: "Seeing and Savoring the Supremacy of Jesus Christ Above All Things", 1º de janeiro de 2012, <https://www.desiringgod.org/messages/seeing-and-savoring-the-supremacy-of-jesus-christ-above-all-things>.

[7] John Piper, "The Highest Good of the Gospel", 17 de outubro de 2013, <https://www.desiringgod.org/messages/the-highest-good-of-the-gospel>.

[8] A expressão "ver e saborear" foi extraída do livro de John Piper, *Seeing and Savoring Jesus Christ* (Wheaton, IL: Crossway, 2004).

[9] Alexander MacLaren's *Exposition of Holy Scripture*, <https://biblehub.com/commentaries/maclaren/2_corinthians/3.htm>.

## Capítulo 7

[1] Joseph S. Exell, ed. geral, *The Pulpit Commentary*, Mateus 17 (2019, versão para Kindle).

[2] R. C. Sproul, sermão "Transfiguration (Mark 9:2–12)", <https://www.youtube.com/watch?v=rzSSdijKz_I&t=1033s>.

[3] John Piper, *Reading the Bible Supernaturally* (Wheaton, IL: Crossway, 2017), p. 141. [No Brasil, *Lendo a Bíblia de modo sobrenatural*. São José dos Campos, SP: Fiel, 2018.]

[4] Thomas Chalmers, *The Expulsive Power of a New Affection* (Wheaton, IL: Crossway, 2020).

[5] C. S. Lewis, *The Weight of Glory* (New York: HarperCollins, 1949), p. 26. [No Brasil, *O peso da glória*. 2ª ed. Rio de Janeiro: Thomas Nelson Brasil, 2017.]

[6] David Wells, *God the Evangelist: How the Holy Spirit Works to Bring Men and Women to Faith* (Grand Rapids: Wm. B. Eerdmans Publishing, 1987), p. 115.

[7] Quando me refiro a ser independente do ambiente, não estou dizendo que não necessitamos de coisas externas como alimento, água ou uma comunidade de fé. Em vez disso, baseio-me no conceito de R. A. Torrey, em seu livro *The Person and Work of the Holy Spirit* (1901). Ao falar sobre encher-se do Espírito Santo, Torrey explica que, depois que recebemos o Espírito, ele nos enche com uma fonte de água sempre a jorrar, "satisfazendo-nos de dentro para fora", a despeito de circunstâncias como "saúde ou doença, prosperidade ou adversidade". Logo, somos "independentes de nosso ambiente", não necessitando mais dele para nossa felicidade. Em outras palavras, o Espírito de Deus nos satisfaz a tal ponto que não dependemos mais de nossas circunstâncias para tal.

Compartilhe suas impressões de leitura,
mencionando o título da obra, pelo e-mail
**opiniao-do-leitor@mundocristao.com.br**
ou por nossas redes sociais

Esta obra foi composta com tipografia Palatino
e impressa em papel Pólen Natural 70 g/m² na gráfica Assahi